Le bal des débris

DU MÊME AUTEUR

Le pauvre nouveau est arrivé ! *(Librio, n° 223, 1998)*

Mygale *(Gallimard, 1984)*
La bête et la belle *(Gallimard, 1985)*
Comedia *(Payot, 1988 – Babel, Actes Sud, 1999)*
Trente-sept annuités et demie *(Le Dillettante, 1990)*
Les orpailleurs *(Gallimard, 1993)*
La vie de ma mère ! *(Gallimard, 1994)*
L'enfant de l'absente *(Seuil, 1994)*
Le secret du rabbin *(Atalante, 1995)*
Mémoire en cage *(Gallimard, 1995)*
Moloch *(Gallimard, 1998)*
Du passé faisons table rase *(Babel, 1998)*
Rouge c'est la vie *(Seuil, 1998)*
La Vigie et autres nouvelles *(Atalante, 1998)*
Jours tranquilles à Belleville *(Méréal, 2000)*

POUR LA JEUNESSE

On a volé le N'koro-N'koro ! *(Syros, 1986)*
Lapoigne et l'ogre du métro *(Nathan, 1988)*
Paolo Solo *(Nathan, 1989)*
Pourquoi demander la lune ? *(Nathan, 1990)*
Lapoigne et la fiole mystérieuse *(Nathan, 1993)*
Belle Zazou *(Mango poche, 1993)*
La bombe humaine *(Syros, 1994)*
Lapoigne à la chasse aux fantômes *(Nathan, 1995)*
Un enfant dans la guerre *(Gallimard jeunesse, 1995)*
Lapoigne à la foire du Trône *(Nathan, 1997)*
Paolo et la crapule *(Pocket jeunesse, 1999)*

Thierry Jonquet

Le bal des débris

Texte intégral

1

Tout a commencé lorsque l'ambulance du SAMU a livré au service des urgences un accidenté de la voie publique répondant au nom de Lepointre Alphonse.

C'était il y a trois mois. Je poussais mes chariots. Mon boulot, c'est de pousser des chariots. Depuis quatre ans que je travaille à l'hosto, j'ai dû faire des centaines de kilomètres avec mes chariots. Je suis un expert en chariots, de beaux chariots avec deux grosses roues à l'arrière et deux petites à l'avant. Dossier en Skaï, frein à manette. C'est pas drôle de pousser des chariots, huit heures par jour. Des chariots vers le labo, des chariots vers la radio, des chariots vers les goguenots !

Et sur mes chariots, il y a des vieux. Parce que l'hosto où je travaille est un hosto pour vieux. Quand un vieux se casse une jambe, quand il se fait renverser par un bus, ou quand il avale le pommeau de sa canne pour en finir, on l'amène dans mon hosto. Pour qu'il y crève ! En fait d'hôpital, ce serait plutôt la salle d'attente du cimetière. Depuis que je pousse mes chariots, jamais je n'ai vu quelqu'un sortir d'ici vivant, sauf pour aller dans un autre hosto, ce qui n'est pas de jeu ! Ou bien, c'est une exception, comme Lepointre Alphonse...

Les vieux arrivent en ambulance, à pied, à plat ventre, sur le dos de leur petit-neveu, et c'est parti. Direction la chambre, la visite, les rayons, la rééducation : au bout du circuit, le cercueil. En face de la grande entrée, un magasin de pompes funèbres nous réjouit la vue, de sa façade aguicheuse. Le croque-mort sourit à ses futurs clients, lorsqu'ils passent devant son échoppe. C'est un Auvergnat, le beauf' d'un type de l'hosto.

Je suis affecté au service de rééducation. Mon port d'attache en quelque sorte. N'allez pas croire ça, il ne s'agit pas de coller les vieux dans un lit et d'attendre qu'ils claquent ! Ah non, non, non ! Avant, il faut qu'on les opère, qu'on les irradie, qu'on essaie sur eux les nouveaux médicaments, et surtout qu'on les rééduque ! Manquerait plus qu'à 90 ans ils marchent de travers ! Marcher droit, bouffer droit, crever droit, et qu'ça saute, une, deux !

Le service de rééducation, c'est du moderne. Il y a des cages avec des poulies, des sacs de sable, des haltères et des poids. C'est pas parce qu'on est vieux qu'on ne doit plus porter de poids.

Notre service de pointe dispose également de baignoires et de douches, ce qu'en langage scientifique les médecins appellent « hydrothérapie ». Et encore des cannes, des béquilles, des vélos. Si vous continuez de boiter, c'est que vous y mettez de la mauvaise volonté...

Mon boulot, c'est d'aller dans les étages, de virer les vieux de leur lit douillet, de les hisser sur mes chariots, et de les expédier au rez-de-chaussée, dans les bras des kinés. Dans les gros bras pleins de poils des kinés.

Et les kinés les rectifient : T'as le col du fémur en cale sèche ? Te bile pas, grand-père, en deux coups les gros, je te masse, je te secoue, je t'articule ! Hop ! À raison d'un vieux par demi-heure et par kiné, ça carbure, mes chariots !

Voilà ma vie, me lever tôt le matin, traverser la banlieue riante sur ma mobylette pour pointer à sept heures et demie... Je suis le premier arrivé, avec mon copain Budat. On passe un coup de balai rapide ; à huit heures, la ronde infernale peut commencer.

*
* *

Budat et moi, huit heures de rang, on cavale dans les couloirs, on saute dans les ascenseurs, on fonce dans les étages, avec nos chariots. Toujours avec nos chariots !

En plus de la kinésie, il y a l'ergothérapie. La « rééducation par le travail ». C'est dans une grande salle que ça se passe. À droite les hommes, à gauche les femmes, une cloison au centre. Et que je te repasse, et que je te tricote, et que je te scie, et que je t'astique. Mais oui ! Certains vieux sont encore assez valides pour bosser un peu, alors l'Assistance publique leur a prévu un coin exprès... C'est l'effervescence, à l'ergo. Certains parviennent à se faire un petit pécule en revendant leurs écharpes ou leurs dessous-de-plat. De quoi se payer un paquet de biscuits ou un litre de rouquin 12°. Quand on n'a pas de famille...

Mais l'ergo, ça ne nous concerne que très peu : les vieux qui y vont sont encore assez alertes pour se passer de nos chariots. Au fond, Budat et moi, nous menons une vie douce et paisible. Le service de rééduc' a même la réputation d'être assez planqué. À côté du service Bantrek, au bâtiment Nord, avec cette crapule de surveillante, chez nous, c'est la sinécure.

Bantrek, c'est le médecin. Il n'a pas réussi à faire autre chose que gériatrie. En langage médical, pour ne pas dire « les vieux », ils disent gériatrie. Alors, il se prend pour Barnard, à trôner parmi ses cols du fémur vermoulus, ses prostates bègues, ses artérites galopantes et ses hémiplégies du cinquième âge. Il fait trimer les infirmières comme c'est pas permis !

Nous, notre médecin, not' maître, c'est Picasseau. Il s'appelle vraiment Picasseau. Il est bon avec le peuple. Lui, au moins, il a tout de suite compris quel était le problème, dans cette boîte. Alors, il ne se foule pas. Il fait sa consultation tranquille, deux fois par semaine, devant les kinés. Il cause avec les vieux, sympa et tout ; ça doit leur faire plus de bien qu'une séance d'électricité.

Oui, j'avais omis de signaler ce fait, qui, bien que secondaire, ne manque malgré tout pas de sel : nos vieux, on les électrocute ! On les capture par surprise, on les couche sur une table, dans des boxes spéciaux, on les sangle avec des lanières de caoutchouc et, zou, on leur envoie du jus dans les rotules ! Pas du 220, évidemment. Du thérapeutique. Il y en a qui croient dur comme fer que ça les soulage ! Ils en redemandent ! Si, si. Une fois, j'ai oublié une mémé, branchée sur la machine diabolique. Je suis parti à la cantine et, une heure après, elle était toujours là, à vibrer sous les décharges. Toute contente : elle m'a juré que ses douleurs lombaires s'étaient éteintes...

*
* *

Tel était l'horizon radieux de ma petite vie, avant que, sous l'influence bénéfique de Lepointre, je ne devienne un bandit redoutable !

J'ai rencontré Lepointre à la consultation de Picasseau. D'ordinaire, c'est la franche rigolade. Les vieux arrivent en salle de kiné, un par un, chariotés comme il se doit par Budat, ou moi-même. Avec leur dossier. Attention, le vieux se doit d'être muni du dossier comportant le récit minutieux de ses aventures médicales antérieures !

Le patron, les kinés, et l'ergothérapeute, un farceur, celui-là, sont assis en rond, autour d'une table d'examen. Glaodec, le chef kiné, présente les malades, le cas, les radios, l'étiologie et tout... Picasseau s'en empare alors, le fait allonger, le tripote, lui cogne dessus avec un petit marteau en plastique et explique au kiné ce qu'il convient de faire. C'est-à-dire pas grand-chose. La prescription, c'est toujours de remuer le lascar un peu dans tous les sens, posologie, deux fois par jour. En général, ça s'arrête là. Le gag, c'est que, dans 90 % des cas, les vieux sont complètement secoués et Picasseau, grand farceur devant l'Éternel, a un truc infaillible pour nous faire marrer. Qui est le président de la République ? leur demande-t-il.

— Heu, ben acré bonsouér... Falguière ?

— Ah, ben, pour sûr, René Coty !

En nous voyant nous fendre la gueule, les artistes sont très contents et ça leur remonte le moral. L'hilarité, ce n'est plus tellement leur rayon, d'habitude.

Alors, le jour où Lepointre est passé à la consult', il y a eu des surprises...

Il s'était fait mettre en l'air par un quinze-tonnes, juste en face de chez lui, à Juvisy. Fracture de la palette humérale gauche, avec séquelles neurologiques.

J'ai vu arriver un gars trapu, au crâne dégarni, mais aux cheveux longs sur la nuque, bedonnant et bien planté sur ses deux jambes. Il avait d'ailleurs refusé le chariot obligeamment proposé par Budat.

— Alors oui... a commencé Picasseau en clignant de l'œil, voici une fracture à mettre en relation avec l'ostéoporose sénile, n'est-ce pas ? Voyons tout d'abord l'état psychologique du sujet. Monsieur, heu, Lepointre, quel est, aujourd'hui, n'est-ce pas, le nom du président de la République ? Mmh ?

Lepointre a jeté un coup d'œil circulaire sur l'assistance, se demandant si c'était du lard ou du cochon. Il a regardé son bras enrubanné de pansements, puis Picasseau. Avant d'éclater :

— Mais qu'est-ce que c'est que ces conneries ? Vous allez vous occuper de ma blessure !

Il a continué en hurlant que c'était une maison de fous, ici, qu'il l'avait bien vu tout de suite, et qu'il ne fallait pas le prendre pour un cave, sinon, ça allait saigner.

Du coup, personne ne s'est marré. Picasseau était blême, et Glaodec tout rouge. Normalement, c'est lui qui prépare les consultations ; s'il avait bien fait son boulot, il aurait pu prévenir que Lepointre n'était pas gaga, qu'il était réellement là à cause de son accident, et qu'il avait des chances de s'en sortir vivant !

Picasseau s'est excusé, a examiné la fracture, Lepointre est reparti avec son dossier sous le bras. Je l'ai rattrapé dans le couloir pour lui indiquer le chemin de sa chambre.

2

Le soir de ma rencontre avec Lepointre, je me suis engueulé comme jamais avec Jeanine. Jeanine, c'est ma copine, quand elle me prend dans ses bras, elle dit des mots tout bas, voilà le travail.

J'étais allé faire des courses au Suma du coin et j'avais oublié d'acheter je ne sais plus quoi. Mais ce qui a surtout fait râler Jeanine, c'est que j'avais payé les commissions avec les deux cents francs trouvés sur la table de la cuisine. Ce mois-là, on était fauchés, comme d'habitude.

La bisque de homard, le cuissot de chevreuil et la bouteille de morgon, les deux billets y étaient passés. Un 28 du mois, avec les impôts qui venaient juste de nous assommer... Les Delacroix tout neufs m'avaient excité l'inspiration culinaire ! Manque de chance, le fric était destiné à la cotisation syndicale de mon épouse !

Jeanine est assistante sociale, dans un autre hosto à vieux de la région. Mais sa vie, son vice, c'est le syndicat CGT. Carte du parti, assemblées de section, fête de *l'Huma*, houlà, c't'une mordue, ma Jeanine. J'ai rencontré cette jeune personne il y a quelques années de ça, alors que je revendais des disques volés dans les supermarchés. À deux ou trois copains, c'était la combine tranquille. Jeanine nous est tombée dessus, pauvres petits délinquants, et nous a vite fait rentrer dans le droit chemin.

Moi, elle m'a eu particulièrement à la bonne puisqu'elle m'a trouvé du boulot à l'hosto, avec la qualification de pousse-chariot. À propos de l'affaire de la cotisation syndicale, j'y étais allé un peu fort, je l'avoue humblement. Quand elle est rentrée de sa réunion de cellule, ce soir-là, elle a vu le festin que j'avais amoureusement mijoté... Ouille ! Coup de gueule :

T'es rien qu'un salaud d'individualiste pourri ; je vous passe les détails. Elle s'est couchée sans même toucher à son assiette. Que j'ai donc terminée.

*
* *

Depuis notre rencontre, Lepointre et moi, nous avons beaucoup parlé. L'après-midi, à l'ergothérapie. À partir de quatorze heures, les kinés baissent les bras, qu'ils ont velus. Donc, plus de boulot pour les chariots.

Mlle Soquet, notre surveillante, va se faire une petite camomille avec une de ses copines au troisième étage du bâtiment Sud. Du coup, on est peinards. Avant, je me faisais une sieste dans un box de massage, rideaux tirés.

Mais depuis l'arrivée de Lepointre, je m'installe à l'ergo. C'est un drôle de lieu, l'ergo ; enfin, côté hommes, parce que, côté femmes, ça ressemble à s'y méprendre à un tableau de Goya. Il y a de tout, chez les mémés, des marquises déchues aux tapineuses en retraite, l'échantillonnage est varié ! On y rencontre Mme Fourtéguy, ancienne infirmière militaire, totalement à côté de ses pompes orthopédiques. Elle porte une blouse blanche, comme si elle était encore d'active ! Mme Clara, qui arpenta de longues années durant le Sébasto, en faisant le commerce de ses charmes aujourd'hui flétris. Mme Blandeux, ex-chanteuse de caf'conc' ; toute la sainte journée, elle braille à tue-tête ses rengaines insupportables... C'est elle qui, vers seize heures, conduit le cortège des mémés dans les couloirs, pour le retour à la chambre. Quarante septuagénaires hurlant à pleins poumons *Les Roses blanches* !

Chez les hommes, c'est plus relax. En général, les pépés tolèrent mieux l'hosto que leurs consœurs, s'organisent pour résister à la déchéance. Tournois de belote, parties de pétanque, tiercé, loto, c'est moins la débandade...

Mais il y a aussi de bons frappés, chez ces messieurs ! Bartan, pour n'en citer qu'un, ça fait dix ans qu'il moisit ici. Un trauma crânien très très sévère. Il passe ses journées à tisser des coussins de laine. Le pauvre, il est persuadé d'être arrivé la semaine dernière ! Pour ne pas qu'il use trop de laine, Mlle Soquet, la surveillante, lui démaille son coussin tous les soirs. En dix ans, il ne s'est pas rendu compte de l'arnaque...

Dans un autre registre, vous avez Strapoulos, un Grec. Au début vaguement prostatique, mais guéri, à présent. Il a tellement baratiné l'assistante sociale, qu'il en a tiré pour des années, de l'hosto. Vaut mieux pour lui, car s'il met le nez dehors, les huissiers le harponnent illico, à cause de sa faillite frauduleuse : un bistrot d'Aubervilliers auquel il a mis le feu pour toucher la prime d'assurance. À chaque fois qu'un huissier se pointe, il trouve Strapoulos au fond de son lit, des perfusions dans toutes les veines, râlant, le drap rabattu sur le nez ! Le reste du temps, il s'occupe en sculptant des bustes de terre qu'il revend à prix d'or aux infirmières. Un sacré numéro aussi, c'est Louvrac. Parkinson, comme on l'appelle. Pas de pot, lui non plus. Sa chambre est au troisième étage. Le temps qu'il se lève, qu'il s'habille, qu'il rate trois fois l'ascenseur et qu'il arrive en kiné, crac, il est onze heures et demie, il doit remonter, pour la soupe de midi. Il redescend en digérant, fait des étapes avec des pauses à tous les coins du couloir, il arrive à l'ergo ; catastrophe : c'est l'heure du goûter !

À quatorze heures, donc, je range mes chariots, j'entre à l'ergo, et je m'installe dans un bon fauteuil, entre le four de poterie et le métier à tisser.

Lepointre, sa spécialité, c'est la vannerie. Il tresse d'énormes chapeaux de paille. Sait tout faire, Lepointre. Comme il dit souvent :

— Les gars du bâtiment, Frédo, impossible de leur apprendre quelque chose !

Plombier zingueur, il était, mon Lepointre. Enfin, pas toujours, j'ai appris ça petit à petit, depuis que nous sommes intimes. Plombier zingueur depuis la Libération, parce qu'avant il était un peu truand sur les bords. La belle époque du Milieu, il a connu ça. Les tractions avant, les chapeaux mous... Son faible, c'était les coffres-forts. Puis la guerre est venue, et ça a mal tourné avec ses associés qui sont devenus des habitués de la rue Lauriston. Lepointre a pris le large : la Gestapo, c'était pas son genre. Les coffres, il a continué, mais l'argent allait dans les caisses de la Résistance. Et il s'est fait piquer en 43, par ses anciens copains. Ils lui ont donné une valise avec un costume rayé, et un aller simple pour la Bavière. Mais il en est revenu, et il a monté une petite entreprise de Plomberie, en 47. L'artisanat est un piège redoutable. Mon Lepointre, le voilà avec ses soixante-cinq balais et son grand cœur, et à peine trois mille balles de retraite par trimestre.

Devant une entrecôte Bercy, nous avons décidé tous les deux de mettre nos cervelles en commun, vu qu'il en a marre de ses clés de douze, et moi, de mes chariots.

*
* *

C'était dans une petite auberge de la forêt de Sénart, près de l'hosto, où nous étions allés dîner un jour qu'il avait obtenu une perm'. Oui, à l'hosto, les malades peuvent obtenir des permissions, ce qui tendrait bien à prouver qu'il ne s'agit pas d'un hôpital très sérieux.

Durant le repas, Lepointre m'avait raconté quelques épisodes savoureux de sa vie de mauvais garçon, puis nous en étions venus au vif du sujet...

— Écoute-moi bien, Frédo ; les chariots ou la plomberie, ça va bien un temps, mais faut voir plus large ! Pas s'esquinter le moral et la santé à gagner des clopinettes ! Des lascars de notre trempe, ça mérite mieux !

— À l'hosto, ai-je murmuré, le fric est dans un coffre, dans le bureau du comptable !

— Tu sais, les économies de vieillards et les sous de la Sécu, ça fait pas lourd ! Et puis les coffres, autant ne plus y compter, c'est devenu électronique et tout, je serais dépassé par la technique.

— Alors, Lepointre, dans quel secteur on la monte, notre combine ?

— T'affole pas, ce qui compte, avant tout, c'est la patience.

Et on a trinqué. J'étais heureux. La voix de Lepointre, c'est la sagesse. Mes chariots, je ne vais pas y passer ma vie, comme Budat. D'ailleurs, Jeanine est bien d'accord là-dessus : elle voudrait que j'entre à fond dans le syndicat !

« On manque de cadres, mon Frédo, me dit-elle souvent, on manque de meneurs d'hommes ! Viens, tu deviendrais vite permanent ! La CGT, c'est ton avenir... »

Quand elle commence à me harceler avec le syndicat, c'est qu'il y a anguille sous roche... La dernière fois qu'elle m'a fait le coup du permanent, en septembre, j'ai passé trois jours à vendre des merguez à la fête de *l'Huma*, et à dormir sous une

15

tente... Soi-disant, ça m'a permis de rencontrer les camarades ! La fois d'avant, c'était pour les vacances : je rêvais sable blond, mer bleue, cocotiers, je t'en fous, on s'est retrouvés dans un car affrété par le parti, direction le mausolée de Lénine !

Entre la CGT et une association avec Lepointre, je n'hésite pas... En sirotant nos cognacs, nous avons passé en revue toutes les formes d'arnaque possibles. Après une heure de palabres, Lepointre a rigolé.

— Allez, Frédo ! On va pas tirer des plans sur la comète ! Pour trouver une bonne occase, il faut attendre, ouvrir l'œil, et se tenir prêts !

Nous avons ouvert l'œil, nous avons attendu, nous nous sommes tenus prêts. Effectivement, trois jours plus tard, l'occase était là. Royal, non ?

3

C'était un mardi. Le matin, je n'étais pas allé à l'hosto, pousser les chariots : je devais passer à l'Office HLM râler contre les bureaux qui nous avaient compté trois fois les charges pour notre deux-pièces.

Quand j'ai demandé une autorisation d'absence à Mlle Soquet, elle est entrée dans une grande colère, toute rouge, qu'est-ce que c'est que ce service, où tout le monde n'en fait qu'à sa tête, et qui va pousser les chariots ?

Je l'ai abandonnée à ses beuglements pour foncer voir mon copain Taulet, qui est aide-soignant au bâtiment Nord, dans le service Bantrek. Il ne travaille pas le matin : il est de la « garde » (15 heures/23 heures) par opposition au « jour » (7 heures/15 heures) et à la « veille », sport hospitalier se pratiquant de nuit. Trois cent soixante-cinq jours par an, nos vieux sont ainsi surveillés...

Je lui ai proposé de permuter pour la journée du lendemain ; il pousserait mes chariots le matin, je viderais ses bassins l'après-midi. Il faut bien se rendre service et s'entraider, dans cette société où le loup est un homme pour l'homme, ainsi que le dit Jeanine.

J'ai perdu toute la matinée dans les bureaux de l'Office HLM et, en sortant, j'ai crevé, avec ma mobylette, sur le pont de Juvisy. J'étais pas mal en retard en arrivant à la pointeuse.

Je courais à fond de train vers le troisième étage du bâtiment Nord et j'ai croisé Ahmed, le coéquipier de Taulet, devant la radio. Ahmed m'a conseillé de courir encore plus vite : il n'y avait plus personne dans le service alors que M. Voirlat demandait le bassin !

M. Voirlat, c'est un cas. C'est le grand-oncle d'un manitou de l'Assistance publique, en convalescence chez nous depuis trois mois. Celui-là, il ne faut pas le faire attendre, sinon il proteste auprès de la direction et ça chauffe pour votre matricule !

Enfin arrivé au troisième étage, j'agrippe un bassin en passant devant l'office, je prends le couloir au triple galop, sans même enfiler ma blouse blanche... Et, oh ! surprise, je déguste un grand coup de pied dans le ventre, en passant devant la chambre 9, l'ancienne demeure de Mme Heffut, qui nous a quittés récemment. Plié en deux, à genoux, suffoquant, je me retourne, et j'encaisse le poing du gars, un gros poing au majeur orné d'une chevalière, en pleine poire. Dodo.

Je me suis réveillé au rez-de-chaussée, dans la salle des urgences, allongé sur un brancard, tandis que l'interne de garde recousait ma lèvre inférieure...

Tout en me posant les points de suture, il m'a expliqué que mon agresseur était un vigile de l'ACSE (Agence centrale de surveillance de l'Essonne) qui gardait l'entrée de la chambre 9. Me voyant arriver sans blouse, courant comme un fou, armé d'un bassin contondant, il a cru à une attaque et m'a étalé ! Du coup, M. Voirlat a fait caca dans son lit...

Encore un peu dans les vapes, je n'ai pas demandé plus de détails. Le directeur m'a fait reconduire dans une voiture de service et m'a donné une journée de congé en me faisant promettre de ne pas aller me plaindre auprès des syndicats.

Jeanine est rentrée le soir, ma bouille tout amochée l'a attendrie. J'étais devenu une victime des milices patronales !

— On va remuer ça, mon Frédo ! Faut faire un certif' médical ! Je vais rédiger un article pour *l'Écho des Luttes* !

Je me taisais, soucieux. Je ne voulais absolument pas qu'on parle de moi dans *l'Écho des luttes*, le journal ronéoté dont Jeanine est rédactrice en chef, pigiste, imprimeuse et qu'elle diffuse à trois cents exemplaires dans l'hôpital où elle bosse...

Le lendemain, j'étais donc de repos. J'ai fait la grasse matinée avant d'aller récupérer ma mobylette sur le pont de Juvisy. Puis j'ai téléphoné à l'hosto, en demandant le poste 31, l'ergothérapie, où j'étais certain de joindre Lepointre, occupé à sa vannerie.

— Lepointre ? Qu'est-ce que c'est que cette histoire de vigile ?

— Sais pas, Frédo ! Y en a deux : un le jour, l'autre la nuit. On peut pas approcher de la chambre 9. J'ai essayé, on m'a rembarré !

Pour être perplexe, j'étais perplexe ! J'ai pensé tout l'après-midi à ces brutes de l'ACSE. Quand les barbouzes rôdent, c'est bien connu, c'est pour protéger quelque chose...

*
* *

Le jeudi, je suis retourné au boulot, et j'ai tout de suite compris aux regards goguenards des sbires de la pointeuse que tout le monde était au courant de ma petite mésaventure.

Ceux de la pointeuse, je ne peux pas les encadrer. Avant, il n'y avait personne, à la pointeuse. La machine était là, grise, métallique, provocante. On prenait son carton sur le tableau, on le glissait dans la fente, drrring ! et on le reposait sur le tableau.

Il y en avait que ça ne gênait pas, ce petit geste insignifiant, deux fois par jour : bonjour, monsieur l'hôpital, au revoir, monsieur l'hôpital, je suis votre fidèle serviteur.

Mais on s'est quand même retrouvés à un petit groupe que ça énervait sacrément, la machine à compter les minutes qui s'additionnent pour faire des heures et des mois à cinq mille balles net !

Alors, pauvres de nous, nous avons truandé ! En pointant pour les copains, en déchirant les cartes. Ensuite, en glissant sournoisement des trombones de bureau dans la fente. Et, un jour, des farceurs non identifiés ont versé de la sauce tomate dans la machine, ce qui a provoqué un court-circuit. Et le directeur s'est énervé, ah mais !

Depuis, il y a deux types dans un petit bureau avec une cage en verre, payés uniquement à enclencher les cartons dans la fente. Plus moyen de filouter. Pour accepter de faire un boulot pareil, il a fallu trouver deux bonnes crapules : des Auvergnats... À l'hosto, les Auvergnats, c'est comme les Corses ailleurs, un vrai gang. On les retrouve dans toutes les planques, bureaux, pointeuses, morgue, etc.

Donc, tout le monde se fendait la gueule parce que je me l'étais fait casser... Seulement voilà, personne ne savait ce que l'ACSE venait faire dans la chambre 9 !

D'habitude, ces gens-là transportent le fric à la sortie des banques avec des camionnettes blindées, ou patrouillent dans les parkings des immeubles de standing avec des chiens. La médecine, autant dire que c'est pas leur rayon, sauf en tant que fournisseurs !

L'histoire a beaucoup fait jaser. C'était le grand mystère. La direction, pour conserver le secret, a affecté des Auvergnats pour s'occuper de la chambre 9. Fleurac, comme infirmier, et Blastaquet comme aide-soignant. Deux vendus au capital, dirait Jeanine. Personne d'autre qu'eux n'entrait dans la chambre, sauf Bantrek, le médecin.

On a vite su le nom de la petite vieille qui logeait au 9. Ce sont les copains de la réception qui nous l'ont dit. Mme d'Artilan, veuve, 70 ans, fracture du col du fémur. Classique.

*
* *

Lepointre a de nouveau tenté de traîner ses guêtres au troisième étage du bâtiment Nord. Il s'est fait jeter. Le cinéma a duré plus d'une semaine. À la fin, les syndicats sont allés protester auprès de la direction, comme c'est leur boulot. Le dirlo les a envoyés sur les roses en leur disant de quoi je me mêle, Mme d'Artilan a peur, oui, très peur des agressions, donc, elle a des gardes du corps. Tant pis pour vous, messieurs les syndicats, aucun règlement de l'AP n'interdit de se faire hospitaliser avec des vigiles, et si vous êtes pas contents, allez voir un peu dans les pays de l'Est comment que ça se passe !

« Dont acte », ont répondu les syndicats, dans leur tract hebdomadaire. Le seul élément nouveau fut la nomination de Glaodec, le chef kiné, pour rééduquer la vieille qui ne quittait pas la chambre. Il nous a raconté que le dirlo lui avait interdit d'en parler à qui que ce soit, et lui c'est service-service, jugulaire-jugulaire, pas comme vous, Frédéric, rangez donc vos chariots, au lieu de poser des questions que ça vous regarde même pas !

*
* *

Lepointre et moi, nous ne voulions pas en démordre ! Il fallait savoir, et plus vite que ça.

— Frédo, j'ai une idée ! Le moins malin des deux Auvergnats, c'est Blastaquet, le sous-fifre. Tous les midis, après la cantine, au lieu de remonter tout de suite au boulot, il traîne et va acheter *Le Hérisson*, *Paris-Turf* ou une autre connerie.

En effet, près de la réception, un marchand de journaux s'est installé, et il en profite pour vendre des gâteaux, du saucisson, du pinard aussi, en douce...

Le lendemain, à la sortie du deuxième service de la cantine, Lepointre et moi, nous nous sommes embusqués derrière la parafango. La parafango, c'est un truc invraisemblable : il s'agit d'une sorte d'espèce de genre de boue visqueuse qu'on fait chauffer dans de grosses marmites avant de l'étaler sur les articulations à douleurs des vieux. Paraîtrait, mais sous toutes réserves, que ça atténue les rhumatismes... Je n'ai rien contre.

La parafango pue et dégage une fumée épaisse, si bien que l'on pratique cette science dans une petite pièce à part de la rééducation. La salle est située à l'angle du couloir que tout le monde emprunte pour se rendre de la cantine aux ascenseurs. Lepointre avait fait du café et dégotté des cigares énormes, j'avais apporté une bouteille de Gaston de Lagrange...

À treize heures sept, Blastaquet se pointe, *Les Astres et vous* sous le bras. Tapis dans notre antre, nous avons poussé de grands éclats de rire en nous tapant sur les cuisses. Puis j'ai bondi dans le couloir en cueillant l'Auvergnat d'un coup de genou dans les côtes. Allongé sur le sol, il protestait faiblement.

— Oh, excuse, j'aurais dû faire gaffe... On fêtait l'anniversaire de Lepointre ! ai-je bafouillé en l'aidant à se relever.

— Ah, c'est pour ça que je vous entendais vous marrer... a-t-il murmuré, perspicace et déducteur.

— Ben, viens boire le coup avec nous !

Blastaquet, son faible, c'est la bouteille : rien qu'à voir son pif, on a visité les Corbières !

— C'est que je voudrais pas m'imposer...

Hou, l'hypocrite. D'une grande bourrade sur ses frêles épaules, je l'ai propulsé dans la salle aux marmites. Lorsqu'il a vu la bouteille de cognac, ses misérables réticences étaient définitivement exterminées... Lepointre lui a servi un grand verre, tandis que je distribuais les cigares. Blastaquet était aux anges.

— Alors, ai-je attaqué, le boulot, ça gaze ?

— Ah, m'en parle pas ! La mère d'Artilan, c't'une vieille carne ! Lui manque toujours quèqu'chose !

Il fallait progresser avec circonspection. Lepointre m'a fait un clin d'œil. Puis il a questionné l'ivrogne.

— Et ta baraque à la campagne, où ça en est ?

— Ah, c'est pas du rapide... Les gars bossent au ralenti. Le carreleur veut m'augmenter le devis...

Il était branché pour une heure, au bas mot. Il n'y avait qu'à laisser mûrir. De temps à autre, je lui remplissais son verre qu'il sifflait aussitôt à la bonne nôtre. Quand il a été fin bourré, Lepointre l'a allongé sur un banc avant de l'entreprendre sur le mystère de la chambre 9,

— Et les vigiles, y sont sympas ?

— Tu m'étonnes, pour c'qu'y sont payés, y peuvent !

— Comment ça ?

— Ses conneries, à la vieille, ça lui coûte toute la pension de son veuf !

— Ils doivent s'emmerder, toute la journée, à rien faire ?

C'était le bon moment. Il avait les yeux vitreux et finissait le cognac au goulot.

— Hein ? Ouais ! La vieille, elle a peur de se faire attaquer ! L'est souffrarde ! Non, f-r-o-ussarde, c'est pour ça qu'y a des giviles, ouais !

L'interrogatoire a duré encore de longues minutes, mais, au bout du compte, il fallait se rendre à l'évidence : Blastaquet ne savait rien, ou, bien pire, la chambre 9 était occupée par une vieille cinglée paranoïaque !

*
* *

Nous ne nous sommes pas découragés ! L'hosto comporte deux grands bâtiments. Le Nord... et le Sud, pardi ! Ils sont tout en long et parallèles. Au rez-de-chaussée, un couloir relie les deux ailes, avec un étage abritant les labos et l'administration. Vu de haut, l'hosto ressemble donc à un H majuscule (comme dans Hosto).

Bien, me suis-je dit. On ne peut pas y entrer, dans cette chambre 9. Blastaquet ne sait rien. Peut-être y a-t-il un moyen d'y jeter un coup d'œil... de loin !

Ce coup de génie m'est venu brutalement, en pleine matinée. Je largue le père Glutin sur son chariot dans un couloir et je cavale à bride abattue vers le troisième étage, bâtiment Sud.

Je n'avais pas prévu, dans ma course effrénée, de foutre en l'air Louvrac, alias Parkinson, mais enfin on ne peut peser tous les impondérables, ainsi que leur nom l'indique !

Et au troisième, bâtiment Sud, je fonce vers la chambre 18, exactement symétrique et en vis-à-vis de la 9, au bâtiment Nord. J'entre, je tire le store de la fenêtre. L'occupant des lieux remue sur son lit et s'irrite, semble-t-il, de ma présence.

— Pourriez prévenir, jeune homme, de mon temps, jamais...

Je m'aperçois alors que je viens de déranger l'ancêtre en pleine séance de visionnement d'une série de diapos cochonnes habilement dissimulées sous le drap.

— Bon... hurlé-je. 'Xamen, voir vot' jambe ! Suis pressé !

Surpris par tant d'autorité, il en fait tomber ses diapos par terre. Il me tend son genou que je palpe d'un air inspiré en poussant de petits grognements de connaisseur, et en fronçant les sourcils. Il épie d'un air anxieux, rajuste son béret, puis d'une toute petite voix demande :

— C'est grave, docteur ?

Je prends ses radios au pied du lit, et je me colle contre la fenêtre, comme si je voulais les étudier à la lumière du jour. Im-pec-cable ! Juste en face, à environ quarante mètres, la silhouette du vigile en faction chez la mère d'Artilan se dégage nettement...

Je remets les diapos dans leur pochette en fixant gravement le pépère.

— Très, c'est très grave !

Et je quitte la chambre en coup de vent, non sans avoir auparavant raflé sa boîte de photos ainsi que la visionneuse à piles.

Dans le couloir, je l'entends hurler qu'il ne comprend plus rien, qu'il est venu pour son foie, de quel droit lui parle-t-on d'amputation, etc.

*
* *

Lorsque j'ai raconté mon histoire à Lepointre, il m'a pris dans ses bras pour me féliciter.

— Bravo, fils, c'est le métier qui rentre ! Maintenant, va voir Lariut, je m'occupe du père Glutin...

Glutin, c'est le pépère que j'avais laissé en rade pour foncer faire mon numéro médical chez le client aux diapos pornos. Glutin, 'tention, c't'un ancien de la Coloniale : ça rigole pas avec lui ! Affirmatif ! Adjudant-chef au 153e Sénégalais, qu'il était ! Aujourd'hui, arthritique comme ce devrait être interdit... Un jour, un type qui préparait un livre sur les affections rhumatismales est venu le photographier, tant sa renommée médicale est grande. Il a d'abord fallu que le gars lui tire un portrait en pied, en uniforme, avec chéchia et bandes molletières, avant que Glutin lui laisse faire ses clichés « scientifiques » !

Glutin possède une superbe paire de jumelles de marine, qu'il tient toujours à portée de main, dans sa table de chevet. J'ignore quelle salade Lepointre lui a montée pour qu'il accepte de nous les prêter, mais, les jours suivants, quand il descendait à la rééducation, il me faisait des vaches de clins d'œil, en lissant ses bacchantes.

— Zieutez le vestiaire des négresses ? Mmh ? Bougre de sacripant de bougre de dégueulasse !

Il partait alors dans une quinte de toux spectaculaire entrecoupée de grognements égrillards. Il a même voulu me faire signer un engagement de cinq ans chez les zouaves : son formulaire datait de 1934, j'ai accepté de bon cœur.

Mon boulot, c'était de voir Lariut, qui est aide-soignant au troisième Sud et qui détient la clé du placard à balais jouxtant la chambre du pépère amateur de porno... À l'hosto, même les placards à balais sont fermés à clé, pensez donc, si un salaud d'asocial se mettait dans l'idée de piquer une serpillière !

Le placard a une minuscule fenêtre, presque une meurtrière.

J'ai imaginé pour Lariut tout un micmac d'infirmière du service avec laquelle j'avais soi-disant un ticket monstre : les placards, c'est un des recoins de l'hosto où ça copule sec, surtout l'hiver ; l'été, c'est plutôt la serre des jardiniers qui abrite les étreintes fugaces des porteurs de blouse blanche... Lariut, toujours accommodant, m'a confié un double des clés, en me promettant de ne pas pointer le bout de son nez dans le secteur pendant trois ou quatre jours.

24

Lepointre fut héroïque. Tassé dans le placard, debout contre la meurtrière, il a braqué les jumelles de Glutin sur la chambre de la mère d'Artilan, de longues heures durant. Rien de rien, ça n'a rien donné ! Il a vu le dos du vigile, sa casquette, son blouson... Le matin, vers dix heures, Glaodec venait rééduquer la vieille, de temps à autre Fleurac passait pour une piqûre, ou Blastaquet pour servir le repas. À une ou deux reprises, Lepointre a même aperçu Bantrek le médecin, venant « exercer son art », comme ils disent. À part ça, néant !

Cette histoire nous a mis en colère, surtout moi qui m'en voulais d'avoir fait passer trois jours d'enfer à ce pauvre Lepointre ! Et nous étions quasiment décidés à descendre dans la chambre 9 la nuit, avec des cordes et des pitons, lorsque nous avons eu notre premier coup de chance...

*
* *

Ce sont les syndicats qui nous l'ont amené, sur un plateau d'argent. Un matin, Glaodec vient me voir, une grande feuille à la main.

— Frédéric, faites-vous grève, demain ?

C'est en effet le boulot des surveillants de prévoir le nombre des lutteurs de classe. Glaodec, il n'est pas vraiment surveillant, mais c'est kif-kif, et il aime bien remplir les formulaires : ça fait important. Il ne ferait jamais grève, lui, oh non ! Si ça lui retirait un tiers de demi-point à l'indice d'avancement ? Ah ? Chef kiné septième échelon, à soixante ans, peut-être huitième ? Un exemple à suivre, mon petit Frédéric !

J'avais totalement oublié cette histoire de grève. Jeanine m'avait bien dit, je cite : « Bientôt les travailleurs de la Santé frapperont un grand coup », fin de citation, mais, honnêtement, suis-je un « travailleur de la Santé » ? Avec un grand S ? Je pousse des chariots de vieux, je ne vois pas ce que la Santé vient faire là-dedans...

Glaodec se tenait devant moi, son stylo derrière l'oreille, comme les épiciers, l'air interrogateur, avec un rien de supériorité que ça m'énerve.

— Non, môssieu Glaodec, je ne ferai pas grève demain...

Il a eu l'air très surpris et a coché mon nom sur la feuille.

J'avais décidé de jouer les jaunes pour me venger de l'engueulade avec Jeanine à propos des deux cents balles de la cotisation syndicale. Et toc !

Le lendemain, l'hosto était désert. Les journées de lutte et d'action résolue, les grands coups qu'on cogne sec sont toujours de francs succès chez nous. Tout le monde reste au lit, ça ne gêne personne. Avec les vieux, la seule urgence, c'est la morgue, et encore il y a eu des cas, tiens, je préfère ne pas en parler...

Au service de rééduc', on était deux jaunes : moi... et Glaodec ! Sans compter Mlle Soquet, mais, elle, son grand-père avait souscrit aux emprunts russes, alors vous pensez...

Nous avons admiré Strapoulos qui sculptait un de ses bustes, puis Glaodec a proposé une petite belote, histoire de tuer le temps. Lepointre est arrivé pour former équipe avec moi, contre les surveillants. À côté, sagement assis, Bartan tissait un des coussins dont il a le secret. Mlle Soquet venait d'annoncer une tierce phénoménale, lorsque Bantrek, le patron du Nord, est entré en trombe en ergothérapie, rouge de colère.

— Qu'est-ce que c'est que cette chienlit ? Tout le monde est à la manifestation ? Glaodec ! Le dossier d'Artilan n'est pas à jour ! Il manque des clichés face/profil du fémur droit, pour un examen comparatif. Vous allez me les faire, prenez n'importe qui pour vous aider...

— Tout de suite ?

— Évidemment ! Et apportez-moi le résultat à l'internat.

Bantrek est sorti en claquant rageusement la porte. Lepointre m'a aussitôt envoyé un coup de pied dans les tibias, sous la table. Glaodec s'est tourné vers moi d'un air méfiant, puis il a interrogé Mlle Soquet du regard.

— Oh, non ! a-t-elle soupiré. Je ne peux pas vous aider, mon lumbago me fait trop souffrir. Emmenez donc Frédéric !

Ah, Mlle Soquet ! D'ordinaire, je ne la porte pas dans mon cœur, mais, à cet instant, je l'aurais bien troussée à la hussarde, malgré son âge et ses douleurs, pour la remercier !

Je me suis levé pour suivre Glaodec à la radio, afin de préparer un de ces appareils ambulants qui servent à faire les clichés quand les vieux sont trop grabataires pour descendre jusqu'au rez-de-chaussée.

Dans l'ascenseur, Glaodec, les boîtes de films sous le bras, me toisait d'un air hautain. Sait tout faire, à l'hosto, Glaodec.

Sauf docteur. Il a débuté comme aide-soignant, il est devenu infirmier, et kiné, et encore chef kiné, bientôt huitième échelon... Peut-être un jour sera-t-il le Maître du Monde ? On ne sait pas... Il se tenait là, imbu de sa compétence, le col de sa blouse rabattu sur le cou, comme les médecins. Il m'a ouvert le chemin jusqu'à la chambre 9. À l'entrée, j'ai salué mon ami le vigile, qui m'avait si gentiment cassé la gueule ! Il fallait voir le lascar. Dans les deux mètres, avec des muscles jusque sous la casquette. Son écusson de l'ACSE brillait comme un sou neuf. De la paume de la main, il tapotait affectueusement la crosse de son flingue. Quand j'ai poussé l'appareil derrière lui, il a souri de toutes ses dents en fer. Une vraie gueule de fourche.

Il m'a même aidé à placer le chariot contre le lit de la mère d'Artilan. Elle était toute rose et ridée, encore plus que mes clients usuels. Un raisin de Corinthe passé au nettoyage à sec. J'ai tiré les draps en manœuvrant la manivelle pour approcher le tube près de sa hanche, tandis que Glaodec enclenchait les films.

Ce faisant, j'inspectais la chambre en douce, sans attirer l'attention de Gueule-de-Fourche, occupé à se curer la narine gauche avec entrain.

Je n'en croyais pas mes yeux : il n'y avait rien de spécial. Comme dans toutes les piaules, une table de chevet, un placard, des affaires de toilette... Une photo de son bonhomme, en lieutenant de chasseurs, une petite bouteille d'eau de Cologne, et *Modes et Travaux*, voilà toute la fortune de la vieille ? De quoi, de quoi ? Lepointre et moi, on s'était esquintés à espionner la chambre 9 pour rien ? La vieille avait simplement peur des agressions ? La trouille des satyres expliquait la présence de Gueule-de-Fourche ? J'en étais vert de rage, quand, tout à coup, Glaodec s'est mis à jurer dans son patois breton !

— Eh ben, qu'est-ce qui vous prend ?

— Heu, d'abord, on dit, qu'est-ce qu'il vous prend-t-il, *monsieur* Glaodec, ensuite, mon petit Frédéric, je me suis trompé de modèle de films, vous allez retourner à la radio chercher les bons. Voilà.

— Bien, d'abord, c'est *monsieur* Frédéric, y a pas de raison, ensuite, je suis pas votre larbin, j'irai pas.

L'imbécile est devenu pâle de rage contenue, il a bafouillé avant de quitter la chambre, vexé. J'ai réinstallé Mme d'Artilan dans une position plus confortable et j'ai rabattu le drap sur ses fesses. Elle m'a demandé à boire, d'une toute petite voix. Alors que je lui tendais un verre d'eau, sa main a tremblé, et le verre est tombé sur le sol, se brisant. J'allais chercher un balai, lorsqu'elle s'est mise à hurler...

— Les voilà ! Les voilà ! Non, vous n'aurez rien ! Fripouilles ! Apaches ! Ah, trahison ! Les voilà !

Le vigile a bondi sur elle, en m'éjectant d'une bourrade. Malgré les paroles apaisantes de son cerbère, la vieille d'Artilan beuglait de plus belle, et ça devenait assez intéressant.

— Ah, gardien, je meurs ! Ils me les ont pris, hein ? Non ? Si ! Non ? Alors, montrez-les-moi, pitié, montrez-les-moi...

Gueule-de-Fourche m'a reluqué en biais. Rien qu'à subir ce regard haineux, je sentais mes genoux faire clac-clac, c'est nous les genoux qu'on danse la rumba, tchi-tchi !

Le vigile m'a fait signe de quitter la chambre. Sur la table de chevet, près d'une bouteille de Contrex, j'ai vu une savonnette, dans un étui de plastique. J'ai tourné le dos à Gueule-de-Fourche en repoussant du pied les fils de l'appareil de radiologie, et j'ai dit : « Attention aux câbles. » Le vigile s'est retourné.

Les chambres sont alignées de part et d'autre d'un couloir médian. Côté cour, la fenêtre, côté couloir, un muret d'environ un mètre vingt, que prolonge une vitre jusqu'au plafond... Sur cette vitre, à l'intérieur de la chambre, descend un store, de telle sorte que, du couloir, on ne distingue rien de ce qui se passe à l'intérieur de la chambre. Attention, il y a de l'humanité, de la pudeur, dans mon hosto, que diable !

J'ai donc soulevé le store pendant que le vigile contemplait ses pieds empêtrés dans les câbles, et j'ai déposé l'étui à savon sur le rebord du muret. L'étui créait un interstice propice, d'à peine quelques centimètres. Dans le couloir, je me suis penché, et j'ai observé...

Courbé en deux, seul dans le corridor, j'ai juré de brûler des cierges à sainte Soquet, la patronne des emprunts russes, à saint Glaodec, le patron des abrutis, et à saint Fourche, le patron des barbouzes... Si Glaodec revenait trop tôt, ou si une infirmière passait par là, j'étais pris en flag' d'espionnage !

Le vigile a ouvert le placard et en a tiré une mallette de métal noir d'où pendaient des fils électriques. Il a actionné une serrure à chiffres : je n'ai pas pu voir le numéro, sa main cachait le cadran. La mémé était toujours aussi agitée, mais elle ne criait plus et Gueule-de-Fourche lui a montré le contenu de la mallette, en se penchant sur le lit.

Houlà ! Que ça brillait ! Que c'était beau ! Au centre, un collier, énorme, une féerie ! Tout autour, dans les renfoncements de la soie tapissant le fond de la valise, s'étalaient majestueusement quatre bracelets sertis de pierres bleues. Des diam's ! Voilà ce que gardait l'ACSE ! Un vrai conte de fées... Un rapide compte de fait : du fric, beaucoup de fric !

Le vigile refermait déjà la mallette, tandis que la mère d'Artilan, respirant à grand-peine, poussait des grognements de joie. Je me suis mis à faire les cent pas dans le couloir, en prenant un air niais. Glaodec est revenu avec une nouvelle série de bobines, juste au moment où Gueule-de-Fourche me faisait signe d'entrer. J'ai récupéré discrètement l'étui à savon pendant que Glaodec faisait les radios. Puis nous sommes redescendus au rez-de-chaussée.

*
* *

— Les fils, où ils allaient ?

Lepointre me harcelait de questions, surexcité.

— Je peux pas te dire. Ils sont accrochés à la valoche et courent jusqu'au placard.

— Système d'alarme électronique ! Gratiné à déconnecter ! Impossible, même...

— Hé, tu crois que les bijoux, c'est pas du toc ?

— Tu mettrais des vigiles pour protéger du plastique, toi ? De toute façon, on va encore enquêter, avant de se lancer.

Il avait dit « avant de se lancer » ! Il était là, notre gros coup ! Joie, bonheur, bandaison ! Après quelques minutes de frétillement, mon Lepointre à moi s'est calmé. Il me parlait d'une voix neutre, posée. Il s'était redressé. En à peine dix minutes, il avait fait un bond de trente ans en arrière... C'était un des potes de Max le Menteur que j'avais devant moi !

— À quelle heure tu quittes le boulot ?

— À trois heures et demie, comme d'habitude !

— Gi, mec, rencard à quatre plombes au rade du coin. Le temps que j'enfile mon harnais, et on part au turbin...

Et, d'un geste empreint de noblesse, il m'a salué en repoussant de l'index le bord d'un imaginaire chapeau feutre...

*
* *

Je suis allé manger à la cantine, histoire d'attendre, plus que par appétit. La salle du self était déserte, en raison de la grève. Je me suis installé à une table, seul, tout seul avec mon plateau. Dans les lentilles, je voyais briller les diamants de la vieille.

À l'autre bout de la salle, groupés comme des cafards, le clan des Auvergnats faisait bombance. Ils s'étaient préparés toute une tambouille pour eux tout seuls. Les effluves de boudin et de tripoux m'emplissaient les narines. Je me trouvais minable.

Jusqu'à quinze heures trente, je n'avais rien à faire. C'était bien la première fois que je me baladais dans l'hosto sans pousser un chariot. J'en ressentais presque un manque, une vague démangeaison au creux des paumes.

J'ai erré dans les couloirs, en touriste. Étrange. Je ne l'avais jamais vu comme ça, l'hosto, avec ses interminables allées, désertes à l'heure de la sieste... Les mains dans les poches de ma blouse, je vagabondais d'étage en étage, un coup chez les cancéreux, un coup chez les pattes folles, une virée chez les hypertendus, une apparition dans la salle des hépatiques. Ces diamants me perturbaient. Une richesse aussi grande dans un écrin aussi dégueulasse, c'était surnaturel, discordant, un non-sens...

Bartan et ses coussins, les mêmes depuis dix ans ! Glutin et sa chéchia, Parkinson et son éternelle course contre la montre, les rengaines de Mme Blandeux, renaissant des caf'conç' anéantis par les bulls, la mémoire douloureuse de Mme Clara, l'ancienne pute du Sébasto : j'avais la nausée ! Au beau milieu de ce cloaque, la présence du trésor me torturait. On ne pouvait faire mieux dans l'indécence.

Jamais comme ce jour-là je n'ai autant haï l'hosto, jamais autant je n'ai vomi son odeur. Pas une odeur d'hôpital, faite de remugles d'éther, de senteurs fugaces du parfum dont s'aspergent certaines infirmières bien roulées, à la blouse transparente, qui font bander les petits jeunots venus là pour se faire réparer un bras cassé. Oh, non, pas cette bonne et forte odeur de vie qu'on bricole avant de lui donner une claque affectueuse sur l'épaule en lui souhaitant : allez, bon vent, on espère bien ne plus te revoir ici !

Il traîne une sale odeur, mon hosto. Une odeur de pourriture, d'oubli, de boue, et de pisse. Une odeur de pus qui suinte des escarres en technicolor, à ciel ouvert, d'où pointe l'os à nu.

Une odeur de dégueulis, de peur, de foutez-moi la paix et de laissez-moi crever peinard ! Une odeur de j'en peux plus, coupez-moi les jambes, coupez-moi les couilles, mais laissez-moi croire à mes souvenirs.

Une odeur de bassin pas vidé depuis trois jours, de draps où j'ai renversé ma soupe, une odeur de pourquoi mon dentier traîne par terre ?

Une odeur d'excusez-moi, j'ai encore chié au lit, mais pardon, mon cul ne veut plus m'obéir...

Et cette odeur-là, les murs de l'hosto en sont barbouillés, imprégnés, imbibés. On peut laver, javelliser, il n'y a rien à faire. Coucou me revoilà, c'est moi la puanteur, je reviens te chatouiller les narines, tu as essayé de me chasser, mais je te colle à la peau. L'odeur de l'hosto. Pas de l'hôpital, de l'hosto. De l'hosto à vieux. De la décharge à vieux.

*
* *

J'ai rangé ma blouse dans mon vestiaire, à côté de celui de Glaodec. Le placard du chef kiné, ça, c'est une véritable curiosité touristique !

Un capharnaüm d'emballages de galettes Traou-Mad, de paquets de tabac gris, de photos pornos et de numéros rares du *Chasseur français*. Il y a aussi un double du plan de son pavillon, des formulaires d'abonnements préférentiels à *La Vie du rail* (son beauf' est contrôleur dans les trains), ses photos de régiment, une canne à pêche, un petit crucifix ainsi qu'une gourde contenant de l'eau de Lourdes... Et... une paire de bottes en caoutchouc, une roue de vélo voilée, un manuel de kiné, des catalogues de *La Redoute*, de la nourriture pour serins, un paquet de capotes, un annuaire des marées de 1958, des cachets contre le bégaiement, *Le Spiritisme en 20 leçons*, une enclume, une pince de homard vernie, une petite gondole en plastique avec des lumières rouges, un disque dédicacé de Tino Rossi, du sucre en poudre, une faucille, *Minute*... Rien qu'à ouvrir le vestiaire, on a un aperçu de la gravité du cas !

Le vestiaire des travailleurs de la Santé, c'est un peu leur vie condensée, ratatinée, enfermée dans une boîte de ferraille grise. Face à l'anonymat de la blouse blanche, chacun se façonne son petit monde clos, son recoin intime où il entasse un bric-à-brac inavouable. Mon copain Budat, sa passion, c'est l'astrologie. Alors, son vestiaire, c'est le Moyen Âge en direct : boule de verre, cadavre de chat taxidermisé, tout l'attirail de Mme Irma...

Carisse, un des kinés, fait plutôt dans le culturisme. Ce qui, chez les kinés, est une maladie professionnelle. Gros bras pleins de poils et de muscles, sourire étincelant, blouse immaculée, les kinés, c'est Maciste à l'hôpital. Son placard à lui, c'est le gymnase Japy en miniature. Il collectionne les haltères et les revues d'hercule du dimanche.

Moi, l'hosto me mine suffisamment l'existence pour que je ne me livre pas à l'aménagement de mon musée personnel. Dans mon vestiaire, il y a ma blouse, un point c'est tout.

*
* *

À la pointeuse, j'ai glissé voluptueusement mon carton, le n° 712, dans la fente de la machine, sous l'œil méfiant des deux cerbères auvergnats...

Lepointre m'attendait chez Bébert, le bistrot du coin, juste à côté des pompes funèbres. On s'est éclusé quelques kirs en trinquant à en faire péter les verres, puis on a sauté dans le bus qui mène à la gare de Juvisy, et de là on a pris le direct jusqu'à Austerlitz. Durant tout le voyage, mon pote restait muet, je n'ai pas osé lui demander ce qu'on allait bricoler à Paris.

En descendant du train, nous n'avons eu que le boulevard de l'Hôpital à traverser, ce qui s'appelle une coïncidence, pour nous retrouver à l'entrée du Jardin des plantes.

Il y avait bien longtemps que je n'y étais venu. Quand j'étais gamin, ma sœur m'emmenait souvent voir les reptiles, au fond du parc. Et le grand squelette du diplodocus : c'est ce que je préférais !

J'ai eu un doute : Lepointre envisageait-il d'attaquer l'ACSE à coups de crocodile enragé ? Non... J'ai été rassuré quand nous avons pris le chemin des jardins bordant la rue Linné.

*
* *

Là aussi, il y a un truc qui m'impressionnait beaucoup lorsque j'étais tout gamin : la coupe d'un énorme tronc de séquoia dont la cime s'élève bien plus haut que le dernier étage de l'hosto, même en comptant l'antenne de télé !

Tout près se trouve le coin des vieux. Décidément, je n'en sortirai jamais ? Ils sont toujours là, qu'il pleuve, qu'il vente, ou que le beaujolais nouveau soit arrivé. Toute une ribambelle d'anciens, de très anciens galopins, assis sur leurs pliants autour de petites tables de jardin, tapant imperturbablement le carton ou se mesurant aux échecs.

Lepointre s'est avancé parmi les tables, fouillant du regard les visages sages de ses compagnons d'âge. Il a hésité longtemps avant de se planter, les mains dans les poches, devant un pépère joueur d'échecs, à la barbe abondante, portant une canadienne râpée.

Le type venait de déplacer son fou de la reine en F4, bloquant ainsi dans sa ligne de mire la tour de l'adversaire mais, tout cela, c'est pour la petite histoire. Un épiphénomène, dirait Jeanine...

Lepointre a sifflotté « Mon amant de Saint-Jean », un tube de sa jeunesse, et l'homme-au-fou-de-la-reine-en-F4 a redressé la tête. Leurs regards se sont croisés et j'ai compris que je vivais un grand moment. Lepointre s'est avancé pour serrer la main de son pote. Ils se sont tapés sur l'épaule, longuement, sans dire un mot, en se dévisageant. Je me dandinais sur place.

Puis Lepointre s'est tourné vers moi pour me faire signe d'approcher.

— Frédo, je te présente un ami, Armand. L'Archiviste, comme on l'appelait. Armand, Frédo, mon associé...

J'ai serré la main d'Armand, un véritable étau ; il avait les yeux bleus, chauds, sacrément roublards.

Lepointre l'a pris par le bras et ils se sont dirigés vers la sortie du jardin. Chemin faisant, ils se remémoraient de vieux souvenirs, d'avant la guerre, et de pendant. J'ai saisi, par bribes, qu'Armand et Lepointre avaient fait partie de la même charrette pour Dachau, en 1943. Arrivés devant le métro Jussieu, nous sommes entrés dans un bistrot. La salle était pleine de minettes habillées avec des vestes chinoises molletonnées et multicolores. Elles portaient leurs sacoches remplies de feuilles volantes ; ça sentait le tabac blond, la crêpe Grand-Marnier, le croque-monsieur, le chocolat chaud, et le patchouli en-veux-tu-en-voilà.

On s'est trouvé une table, au fond. Il régnait un raffut terrible dans cet estaminet. Marie-Aline n'en finissait plus de rencontrer là cette chère Anne-Laure qu'elle croyait en cours de psycho, figurez-vous. Le flipper nous serinait son refrain électronique à grands coups de tac-tac-boum disco et, dans un coin reculé, à la table en face de la nôtre une sacrée bande de gauchistes palabraient à voix basse, échangeant des journaux et des tracts. Heureusement, Jeanine n'était pas là.

Armand l'Archiviste et mon Lepointre jetaient une note discordante, anachronique, au beau milieu de cette faune huppée. Et l'étrange, c'est qu'ils ne ressemblaient pas du tout à deux vieux patriarches égarés dans une cour d'école maternelle ! Ils n'avaient pas ce regard gêné, fuyant, hésitant, discret au possible qu'ont souvent les vieillards. Ils ne se tenaient pas voûtés, ils ne tremblotaient pas. Ils étaient là, simplement, fiers comme des papes. Ben quoi, les rides, c'est rien qu'une erreur, on n'a pas vieilli, ce sont les années qui se sont trompées de route, et merde.

Après le sauvignon des retrouvailles, Lepointre a entrepris Armand au sujet de notre visite inattendue.

— Armand, t'as pas perdu la mémoire ? Si je te dis d'Artilan, ça t'évoque quelque chose ?

Armand a fermé les yeux pour se concentrer, puis les a rouverts en fixant le doux minois d'une jouvencelle qui venait de commander un vichy-fraise au comptoir.

— D'Artilan, attends voir, attends voir, le patronyme ne m'est pas inconnu !

Nous étions suspendus à ses lèvres, présentement trempées dans un ballon de sancerre. Je saisissais pourquoi on l'avait surnommé « l'Archiviste »...

— Le premier, si je ne me goure pas, c'est le d'Artilan de la Cie de Suez-Sarajevo, un grossium qui avait récupéré des actions sur le canal pour les transférer dans le zinc yougoslave. Malversations, prête-noms à tire-larigot, tu vois le genre. C'était en 20-22, à peu près, c'est celui-là qui te passionne ?

— Non, Armand, le nôtre doit être un peu plus récent. À vrai dire, on est sur sa rombière. Elle est pas jeunette, mais ça devrait pas remonter si loin.

— Bon, ben alors, c'est le second. Edmond d'Artilan de Sentembert. Une arsouille qui a bouffé à tous les râteliers. Il s'est fait connaître en traînant ses guêtres dans les cabinets ministériels de la Troisième. Plus jeune. Lui aussi, il faisait dans le colonial, en plus crapuleux. Mouillé à fond dans le trafic des piastres, il a disparu de la circulation : fortune colossale, mais assez fêtard ! Il a dû claquer tout en un rien de temps. Sa bergère, tiens, ça me revient, c'était l'ancienne régulière d'un dignitaire de Vichy. Sa mère était tenancière d'un claque en renom, rue Lapérouse.

J'étais sidéré. Ce type était un ordinateur ambulant. Dans sa tête, classés en groupes, figuraient les membres du gratin de son époque, et de la mienne. Armand était le personnage à consulter avant de monter un coup.

Comment il faisait, j'ai fini par l'apprendre quand on est arrivés chez lui. Il habitait (il habite toujours) un trois-pièces discret boulevard de Sébastopol, dans un vieil immeuble bourgeois.

Il y a des bouquins partout, sur tous les murs, tassés sur des étagères. Dans le salon Louis XV, comme me l'a appris Lepointre, il nous a conviés à nous asseoir et servez-vous donc à boire, j'en ai pas pour bien longtemps.

Au bout d'un quart d'heure, Armand est revenu, un dossier en carton à la main, l'air triomphant.

— La vieille au d'Artilan, c'est du sérieux, a-t-il dit, Lepointre et toi, Frédo, vous êtes branchés sur un coup de rois ! Un sacré bon turbin. Écoutez un peu : je cite, *Paris-Soir* du 11-12-58 : « Dîner fastueux hier au soir chez Norbert d'Hautelieu, le nouveau dandy en vogue dans la capitale. On y a remarqué Mlle M..., la grande actrice qui vient de triompher à l'Odéon, ainsi que Louis d'U..., le nouveau directeur de la Parisienne d'Industries. Une des vedettes de la soirée fut Mme Marthe d'Artilan, qui conquit l'assistance grâce au collier que son époux lui a offert pour fêter l'acquisition de leur domaine de M... » Attendez, c'est pas fini : *Le Monde* du 13-02-63, rubrique nécrologique : « Mme d'Artilan vous prie de bien vouloir assister à la cérémonie religieuse ce dimanche à Notre-Dame-de-Lorette, à Paris. Une messe sera dite à la mémoire de M. Edmond d'Artilan de Sentembert décédé le 9 de ce mois des suites d'une longue maladie... » Et c'est pas tout : *Le Courrier de la côte Ouest* du 15-07-74 : « Mise en vente le 22 du château et du domaine de M... par Mme veuve d'Artilan. » Et encore du même canard, deux ans plus tard, le 10-04-76 : « Scandale hier soir au casino de M... : Mme Marthe d'Artilan, veuve de l'ancien conseiller général de notre département, s'est vu expulser pour ébriété et dettes non réglées de la table de baccara après un esclandre... »

Lepointre a hoché la tête, pensivement. Il s'est tourné vers moi, puis vers Armand.

— Arrête là, l'Archiviste, on en sait assez ! On a ferré une vieille pocharde qui a claqué tout son magot. Ce qui lui reste, c'est ses bijoux. Eh ben, merci, Armand, combien on te doit ?

Armand est devenu pâle, puis tout rouge. De colère, il a balancé son dossier par terre. Les coupures se sont renversées sur le plancher.

— Merde, Lepointre, vous me devez rien ! Mais alors rien ! J'ai décroché depuis des années et, tu le sais bien, je suis à la retraite. Mes dossiers dorment dans mes armoires. Pour toi, pour vous, je veux bien mettre la main à la pâte, mais je vais pas vous faire casquer le prix fort pour deux ou trois articles oubliés.

Lepointre a dit qu'allez, on n'y pensait plus ; on a trinqué une dernière fois et on a salué Armand en lui promettant de revenir le voir. Dans l'ascenseur, Lepointre m'a expliqué qu'Armand était une fine lame, dans le Milieu. Enfin, autrefois. Le plus fort dans sa spécialité ! Quoiqu'il ne se limitait pas à lire les journaux. Il savait aussi manier le surin et l'artillerie. Et Armand faisait toujours payer les renseignements qu'il donnait. C'était régulier, même avec les copains. Vraiment, s'il avait refusé toute rémunération, c'est qu'il avait bel et bien décroché. Lepointre a salement marqué le coup. Lui qui repartait au charbon, comme au bon vieux temps de sa jeunesse ! Sur le trottoir du boulevard, il s'est arrêté brusquement.

— Frédo, je suis peut-être trop vieux pour regrimper sur un taf de cette envergure. Si tu veux te lancer seul, te gêne pas pour me le dire, je te céderai la place...

J'avais une grosse boule dans la gorge et je sentais mes mains trembler. Je les ai enfouies dans les poches de ma parka pour endiguer le désastre, j'ai craché par terre et je me suis raclé bruyamment la gorge. J'ai regardé Lepointre droit dans les yeux, suivant la technique d'Armand.

— Il est grand temps que tu te tires de l'hosto, mon vieux ; ça commence à te porter sur la cafetière. Faut arrêter tes médicaments, ça te fait délirer. Je vais écrire à ta maman que t'es pas sage et qu'elle vienne te chercher. Elle pourra peut-être te convaincre que, maintenant que t'es grand, tu dois gagner ta croûte tout seul. Tu veux que je t'achète une sucette, en attendant ?

Il m'a regardé d'un drôle d'air. Et on est tombés dans les bras l'un de l'autre en éclatant de rire. D'un pas ferme et gaillard, nous avons marché jusqu'au bistrot le plus proche pour fêter notre entente désormais indestructible. Qu'on se le dise !

*
* *

J'étais complètement soûl en rentrant à la maison, où Jeanine m'attendait depuis trois heures. La scène fut terrible. J'ai commencé par me casser la gueule dans l'entrée, tellement j'étais plein.

Au passage, j'ai anéanti le fletchétéra de Jeanine, en me couchant dessus. Un beau fletchétéra que son oncle Gustave lui avait offert l'an passé pour son anniversaire. J'ai eu un mal fou à me relever. Pour ce faire, je me suis aidé en m'agrippant au bas du manteau de mon épouse, accroché à la patère dans l'entrée. Le tissu en était de médiocre qualité puisqu'il s'est déchiré sur toute sa longueur quand j'ai tiré dessus pour me redresser.

En voulant assurer mon équilibre, je me suis appuyé sur le vase de terre cuite que Jeanine avait rapporté de son stage de poterie. L'anse a bien tenu le choc, mais pas le corps du vase. J'étais bien conscient que je venais de faire une gaffe. Les morceaux de terre gisaient sur la carpette. J'ai tiré le tapis d'un coup sec, pour ramasser les débris du vase.

Et c'est à cause de ça que j'ai renversé l'aquarium. J'ai aussitôt couru chercher une casserole pour mettre les poissons dedans. Dans ma précipitation, j'ai tourné le bouton d'eau chaude, ce qui a ébouillanté les pauvres bêtes. C'est à ce moment précis que les hurlements ont débuté.

— Salaud, salaud, t'es rien qu'un sale type ! T'as pas honte, houligan ? Complètement soûl ; je t'attends depuis trois heures, nous étions invités à dîner chez Marie-Hélène... Et puis, dis donc : t'as pas fait grève aujourd'hui ? Hein ? Toute ma cellule sait que je vis avec un jaune... ! Je n'oserai plus jamais t'emmener nulle part, chez mes amis ! Frédéric, mon mari, est un briseur de grève ! Et un ivrogne ! Frédo, mon Frédo, tu t'es laissé corrompre par le patronat pourri... Ah ! pourquoi ? Pourquoi ça m'arrive à moi ?

Et elle s'est mise à pleurer, en hurlant en même temps, ce que peu de gens parviennent à faire, mais elle, si. Elle n'en finissait plus. Une longue plainte modulée d'une voix stridente, insinuante, envahissante, assommante. Des sanglots qui la soulevaient de terre. Des trépignements si rapides que je ne voyais plus ses jambes. De ses petites mains délicates, elle réduisait un coussin en charpie.

Soudain, les cris ont cessé. Je voyais les murs tourner autour de ma tête. Je me suis assis sur le fauteuil, face à la bibliothèque et j'ai pris le premier tome des œuvres de Lénine en pleine bouille. Un bouquin à jaquette de carton fort : la pointe de la couverture m'a entamé la joue et j'ai saigné. La vue du sang, de mon sang (Rhésus A), l'a énervée encore plus. Après Lénine, j'ai dégusté Politzer, *Le Défi démocratique* de ce bon Georges, le catalogue *Manufrance* et l'album de photos de famille. Et, ensuite, la vaisselle.

Chez nous, au bout d'un quart d'heure, c'était le Chemin des Dames. J'ai dégueulé un bon coup, bien au milieu de la peau d'ours qu'on avait ramenée de nos vacances à Moscou. Et je suis sorti sur le palier. Au rez-de-chaussée, je suis monté sur ma mobylette, à l'envers d'abord, à l'endroit deux secondes plus tard et j'ai mis pleins gaz vers la cité des Bleuets Fleuris où loge mon copain Taulet, dont je vous ai déjà parlé. Quand il a vu dans quel état j'étais, il ne m'a pas posé de question et m'a laissé roupiller tranquille.

4

En allant à l'hosto, le lendemain, je sentais un tambour qui jouait *Sambre et Meuse*, juste derrière mes oreilles ; une impression très désagréable. J'ai d'abord glissé ma carte d'identité dans la pointeuse, mais non, « signe distinctif : néant / 7 h 37 / », ça ne pouvait être qu'une regrettable erreur ! J'ai fini par retrouver mon carton, le 712, après d'opiniâtres recherches. N° 712/7 h 38.

J'ai poussé mes chariots toute la matinée en prenant des virages osés. Les roues grinçaient sur le lino et j'ai un peu écorné la peinture de quelques couloirs au passage. Le père Glutin, que j'ai trimbalé à la vitesse grand V à la rééducation, s'amusait comme un vieux fou.

— C'pas dans les zouaves qu'il faut t'engager, p'tit gars, c'est dans la cavalerie ! Comme cheval... ! Hé, hé, hé... sacrédiou de morbleu de ventrediou de coureur de négresses !

Il a ri de plus belle lorsque j'ai renversé Louvrac, alias Parkinson, dans ma course folle. Deux malades en même temps sur mon chariot, ça valait bien une prime, mais Mlle Soquet ne l'a pas entendu de cette oreille. (L'autre est sourde.)

Quand elle a vu mes yeux vitreux, elle a été indulgente et m'a dit d'aller dormir à la parafango. Un peu plus tard, une main vigoureuse m'a secoué l'épaule dans le but avoué de me tirer de mon sommeil. Au-dessus de moi, Lepointre souriait d'un air bonhomme.

— Réveille-toi, Frédo, il y a du boulot pour nous, à partir d'aujourd'hui !

Je le savais bien, qu'il y avait du boulot pour nous. Ce que je ne savais pas, c'était par quel bout attaquer. Après le repas de midi, nous avons tenu conférence dans un box de kiné, notre repaire préféré.

— Maintenant qu'on est sûrs que les diamants de la vioque c'est pas du toc, va falloir envisager comment les subtiliser.

— Je voudrais pas jouer les rabat-joie, Lepointre, mais il y a un autre problème : quand on les aura volés, qu'est-ce qu'on va en faire ? Ils seront signalés partout ! On va pas les porter autour du cou. Faudra les revendre : à qui et comment ? T'as pensé à ça ?

— Bien sûr, Frédo ! Te bile pas, j'ai mon idée. Pendant la guerre, à Dachau, j'ai bien connu Drizdeskovitz. Abraham Drizdeskovitz : l'un des plus gros diamantaires d'Anvers. En 44, je lui ai sauvé la vie en le maintenant debout, pendant un appel. Le pauvre, il était tellement mal en point qu'il se serait laissé tomber dans la boue juste devant les fridolins. Pour lui, c'était le crématoire direct ! Mais je l'ai tenu contre moi pendant une bonne demi-heure. Depuis, il me voue une sacrée reconnaissance. Je suis encore allé chez lui, en Belgique, l'an passé. Si on déboule le voir avec le magot, pas de problème ! Il retaillera un peu les diam's, on perdra du blé, mais t'en fais pas, on rentrera dans nos frais... !

— Bon, alors comment on fait ?

— Frédo, pas d'esbroufe, de la méthode avant toute chose ! Primo le vigile, secundo l'alarme, tertio les flics du commissariat d'en face l'hosto. Quarto, on est connus comme le loup blanc dans tous les services. On va procéder dans l'ordre. Demain, tu te pointes avec un appareil-photo, des pellicules et on s'y met !

*
* *

En rentrant à la maison, j'ai trouvé une lettre de mon épouse, au milieu des décombres. Elle m'annonçait qu'elle rentrait chez sa mère, sale goujat. C'était très bien que je me retrouve tout seul. Le départ de Jeanine me laissait les mains libres pour opérer.

Une semaine durant, nous avons travaillé comme des bœufs. Nous avons noté toutes les allées et venues dans les services du bâtiment Nord. Lepointre a pris des photos des vigiles et de la chambre de Mme d'Artilan, pour réfléchir sur document. À son avis, c'est plus sérieux. Les prises de vues se sont avérées périlleuses. La chambre d'en face celle de la vieille était occupée par un pépé totalement gaga. J'ai conduit Lepointre affalé sur un chariot, avec un grand champ opératoire vert sur le visage.

Méconnaissable, il était, le Lepointre ! Pour bien faire, j'avais barbouillé le tissu avec du mercurochrome. Nous sommes entrés dans la chambre 6, en face de la 9, brusquement et en refermant aussitôt la porte. C'était à quatorze heures trente, en plein pendant la sieste. Personne dans les couloirs. Nous avions juste croisé le docteur Bantrek devant l'office des infirmières, mais il n'a même pas jeté un regard vers nous.

Dans la chambre, Lepointre a sauté du chariot et s'est embusqué avec son Kodak. Le pépé qui occupait les lieux était très inquiet. Au bout d'un moment, il s'est redressé sur son lit, a sorti un casque de la guerre 14-18 de sa table de chevet et s'est mis à hurler en nous traitant de sales boches.

Lepointre, qui est l'homme de toutes les situations délicates, s'est précipité sur lui :

— Silence, soldat ! Matricule ? Régiment ? 'Plez-moi mon lieutenant !

— Amédée Lagoncière, mon yeut'nant, matricule 72456, Troisième Génie !

Il s'est mis au garde-à-vous, ce qui n'était pas aisé en regard de son cul-de-jattisme suraigu.

— Lieutenant Tarcot, du Troisième Bureau ! Repos. Espion boche repéré de l'autre côté du couloir, chambre 9. Comptons sur votre discrétion. Pas un mot, soldat, sinon : forteresse... !

Le pépé Lagoncière, subjugué, s'est immédiatement calmé et s'est mis à observer le vigile de l'ACSE au travers du store de la vitre de sa chambre, d'un air farouche.

Nous avons fait nos photos peinards et nous avons promis de revenir, mais surtout pas un mot, soldat Lagoncière ! L'ex-sapeur nous a salués militairement et nous a fait savoir qu'il avait ce qu'il fallait pour se défendre : sous ses draps, il avait planqué une petite mitraillette en plastique made in Hong Kong qui fait tagadagac-tagadagac quand on presse la détente. Il y avait même une pierre à briquet pour faire des étincelles. Pas de doute : « On ne passe pas ! »

Nous avons installé notre QG chez moi. J'ai viré la bibliothèque qui avait supporté l'*Encyclopedia Marxista* en vingt volumes et j'ai punaisé un plan de l'hosto sur le mur.

De chaque côté, les portraits des vigiles ; sur une grande feuille, Lepointre a inscrit les horaires du bâtiment Nord, les noms des gens et leurs services, jour, garde ou veille. Pour savoir à qui on aurait affaire le jour J...

Nous avions acheté un *Que sais-je ?* sur les systèmes de sécurité ainsi qu'un vieux numéro de *Science et Vie* sur le même sujet. Il y avait aussi un dossier avec les photos du commissariat d'en face l'hosto, et la boutique de cercueils attenante.

Qu'est-ce qu'on était méthodiques ! Tous les après-midi, je quittais à quinze heures trente pile, je fonçais à la maison et, à seize heures trente, Lepointre arrivait. Briefing jusqu'à dix-huit heures, dîner, et ensuite Lepointre rentrait à l'hosto. Nous nous étions imposé un régime spartiate. Vitamines, riz complet, jus d'orange. Et plus d'alcool ! Il s'agissait d'être au mieux de notre condition physique pour l'heure H. On faisait aussi des séances de gymnastique et de close-combat, histoire de ne rien négliger. Il fallait faire vite. D'ici un mois, Lepointre sortirait de l'hosto, et nous avions fini par conclure que sa qualité de malade, loin de nous nuire, était un bon atout dans notre jeu. Le cheval de Troie de la gériatrie, en quelque sorte !

Tout était prévu. Je faisais mon boulot impeccablement, afin de ne pas provoquer je ne sais quelle tuile inopinée. Les félicitations de Glaodec me sont restées en travers de la gorge, mais enfin il faut souffrir pour être belle.

*
* *

Le fruit de nos cogitations gangstériennes était juteux, mûr et sans nul doute savoureux. Le hic, c'était qu'il était coton à éplucher. Et si on avalait un pépin...

L'expérience de Lepointre aidant, nous avions élagué les difficultés les unes après les autres. L'opération devait se dérouler en cinq temps :

1° L'élimination de Gueule-de-Fourche, ou plutôt de son double, puisque nous avions opté pour le travail nocturne, convenant mieux à nos tempéraments effacés. Gueule-de-Fourche quittait l'hosto à vingt heures trente, son collègue le relayait aussitôt, et nous voulions le traiter vers vingt-deux heures trente, parce que la relève de la garde infirmière se fait à vingt-trois heures et, une demi-heure avant, c'est le calme plat. Toutes les infirmières cassent la graine dans les offices et ne sortent pas dans les couloirs. À cette heure-là, on peut se balader dans les services sans rencontrer quiconque.

2° Récupération de la mallette. Ce qui n'était pas un problème en soi. Un bon coup de hache sur les filins devait les faire céder. Sinon, on attaquait au chalumeau de poche. Ou carrément à l'explosif : dans sa jeunesse, Lepointre avait travaillé dans une carrière. Pour la mallette, ce qui nous gênait, c'était le système d'alarme. Évidemment, j'avais piqué un plan de l'hosto et des installations électriques auxquelles était peut-être relié le système en question. Le poste de commande de circuit se trouve dans les sous-sols, près de la morgue. Dans un premier temps, Lepointre avait pensé à le déconnecter. Mais il y avait peut-être un système d'alarme autonome ? Ou une liaison radio avec les flics ou le central de l'ACSE ? Dans ce cas, jouer à tripoter le circuit dans les sous-sols pouvait fort bien déclencher le branle-bas. Il faudrait alors remonter au troisième étage avant l'arrivée des renforts. Non, c'était trop compliqué ! Nous avions donc délibérément choisi de prendre la mallette en ignorant l'alarme. Tant pis, nous déclencherions la charge de la brigade des chaussures à clous.

3° Et c'était en relation directe avec le 2° : la fuite avec la mallette. C'était là notre grande trouvaille. La sirène se déclenchant, les flics d'en face l'entrée principale se précipiteraient vers l'hosto au pas de course, direction le bâtiment Nord, troisième étage. Et, pendant ce temps-là, nous filerions avec les diam's par la petite entrée, celle des livraisons, située à l'autre bout des bâtiments et diamétralement opposée à celle par laquelle se pointeraient les pandores. Du commissariat à l'entrée principale, il y a cinquante mètres. Plus les trois étages à grimper, on avait amplement le temps de s'éclipser. Même si le brigadier et ses subordonnés avaient eu Jazy, Mimoun et Zatopek comme parrains à leur première communion, il y avait très peu de chances pour qu'ils nous coincent dans un couloir. Surtout qu'avant on allait leur téléphoner qu'un accident terrible venait de se produire sur la nationale et grouillez-vous donc, il y a des tas de morts.

Pendant toute cette séquence de l'action un déguisement habile nous masquerait aux yeux indiscrets d'éventuels pékins.

4° J'agirais seul. Une rutilante automobile louée à cet effet m'attendrait dans une ruelle derrière l'hosto et, sans jouer les Jabouille, ce serait le *b a-ba* de filer déposer le magot en un lieu on ne peut plus sûr avant que les barrages ne se mettent en place. Au cas où il y aurait des barrages. Pendant ce temps, Lepointre aurait eu tout le loisir de regagner sa piaule et d'appeler l'infirmière, houlà, houlà, mademoiselle, administrez-moi vite un calmant, mon pauvre bras me fait atrocement souffrir !

5° Quelques jours plus tard, je me mettrais en congé de maladie, Lepointre sortirait définitivement de l'hosto et hop, tout droit à Anvers, chez nos amis belges, en l'occurrence Abraham Drizdeskovitz, pour refourguer la camelote.

*
* *

Dire l'excitation qui nous a taraudés pendant la dernière phase de la préparation de l'attaque, ce serait impossible. Survoltés, anxieux, nous nous employions à peaufiner les détails.

Pour se garantir contre quelque rencontre inopportune, Lepointre s'était décidé à se munir d'un vieux Luger datant du Maquis, obligeamment prêté par Armand. Le flingue ne serait pas chargé, il s'agissait tout bonnement d'impressionner un improbable gêneur.

Physiquement, nous étions au meilleur de notre forme ; nous en étions arrivés à la page 244 du manuel Marabout d'aïkido, ce qui n'est pas de la rigolade. L'adversaire n'avait qu'à bien se tenir. Afin de personnaliser le débat, j'avais bourré de sable un vieil édredon que j'avais ensuite fixé à l'armature du lampadaire de ma salle à manger. Lepointre a scotché un tirage grand format du portrait de Gueule-de-Fourche sur le tissu.

Dix minutes quotidiennes de punching-ball là-dessus, rien de tel pour se mettre en condition ! Pour l'ACSE, ce serait la Berezina multipliée par Pearl Harbor. Après notre passage, ces gens devraient se recycler dans le baby-sitting. Et encore !

Le seul point délicat qu'il nous restait à résoudre, c'était la date des opérations ; mais le hasard, encore lui, nous a court-circuités en susurrant à nos oreilles épanouies le soir du 12 décembre, fête de saint Romanic, ce qui est fort comique. Et le hasard prit la voix de M. Hassouf, directeur vénéré de l'hosto.

*
* *

Le 2 décembre, vers dix heures, je manquai renverser d'un coup de chariot fou tout un attroupement de blouses blanches et de bérets à béquilles se tordant le cou pour lire une affiche de la direction placardée sur un mur.

Quand il m'a vu débouler du coin du couloir en dérapage strident, Louvrac, alias Parkinson, a fait une tentative désespérée pour échapper au coup de boutoir de mon chariot.

Peine perdue, je l'ai pas loupé. Un très habile revers de roue, en plein dans le creux du mollet gauche. Dans sa chute, il s'est malencontreusement raccroché à la blouse de Mlle Soquet, la déchirant par là même des épaules aux genoux, dans le dos. Soutien-gorge rose, petit slip noir à dentelles et porte-jarretelles froufroutant, notre surveillante a fait un tabac !

J'avais dégagé Louvrac, déshabillé Mlle Soquet, mais évité toute effusion de sang. Sacrés chariots, l'accoudoir pointu ou le repose-pieds métallique, ça peut faire mal, à grande vitesse !

Tout l'attroupement qui se tenait devant l'affiche s'est précipité en courant à la poursuite de l'affriolante anatomie de ma très chère supérieure hiérarchique, la protégeant ainsi de mes regards pourtant blasés.

Je me suis retrouvé seul devant l'affiche, en lettres noires et grasses sur fond blanc, qui offrait lascivement ses caractères provocateurs à mes yeux avides.

L'Assistance publique déclarait-elle la guerre aux malades ? Glaodec avait-il réussi le certificat d'études ? Mme d'Artilan faisait-elle don de sa fortune au Mont-de-Piété ? Glutin organisait-il un défilé de zouaves ?

Oh... Non. Pire que ça. Pour fêter Noël tout proche, Alléluia, alléluia, M. Hassouf, maître incontesté des lieux, faisait savoir à ses sujets qu'un bal masqué serait donné dans le gymnase de rééducation, pour la soirée du 12 décembre !!!

Tous, malades et infirmiers, oui, tous, aides-soignants et carabins seraient déguisés, aux frais de la princesse. Chacun choisirait son costume, tous seraient grimés.

Le couple le mieux assorti serait élu roi de l'hosto. Une loterie, des cadeaux, un repas grandiose, un radio-crochet, des clowns, des magiciens, du cinéma, des attractions internationales !

Un orchestre dansant, « Tony Celtic et ses Rythmes », viendrait tout spécialement des États-Unis ! (De la rue des États-Unis, à Saint-Ouen.) Cotillons, masques et farandoles feraient fuir la tristesse. Hosanna, hosanna au plus haut de l'hosto à vieux !

J'en étais coi. Comment ? Est-ce possible ? Des masques de Zorro pour cacher les pustules ? Des escarpins cendrillonnesques sur les pieds-bots ? Des confettis sur les crânes chauves ? De la barbe à papa en garniture de dentier ? Du champagne plein les penilex ? De la guimauve dans les zonas ? Du caviar dégoulinant sur les herpès ? Tchin-tchin, à coup de prothèses ? De l'eau de Cologne sur les sphincters défaillants ? Des serpentins autour des béquilles ?

Comment ? Comment ? Du flonflon pour les moignons ? Du sylvaner pour les cancers ? Du charleston pour Parkinson ?

C'était le scandale. Le gros, le démesuré, l'indicible, l'énorme scandale.

J'en suffoquais de surprise et de colère. Tant de culot de la part de M. Hassouf me laissait pantois. J'en bafouillais de rage quand Lepointre, hilare, m'a tapé sur l'épaule.

— Calme-toi, Frédo. Le voilà, notre camouflage. On pouvait pas rêver mieux !

J'ai mis quelques instants à comprendre et moi aussi je me suis marré !

*
* *

M. Hassouf a convoqué le lendemain une réunion d'organisation du bal masqué. Tout le personnel de l'hosto qui pouvait se déplacer « sans préjudice pour le service » cet après-midi-là s'est pointé dans le gymnase et s'est assis comme au spectacle devant l'estrade que des menuisiers étaient venus installer le matin même, à cet effet.

Et qui avait rangé les chaises et tout devant l'estrade ? Et qui avait installé un petit guéridon avec une bouteille de Contrex et un verre pour les orateurs ? Pan, dans le mille ! La corvée, c'est pour Budat et ma pomme !

M. Hassouf a parlé longuement, de sa voix grinçante. Une toute petite voix pour un corps aussi gros, aussi boursouflé par la cirrhose.

Il nous a doctement expliqué que l'idée lui était venue d'organiser une petite sauterie, pour remédier à la tristesse qui régnait dans les services, alors que nous sommes, en cette veille de Noël, tous joyeux dans nos foyers et nos familles, avec nos enfants et nos grand-mères et nos pères grands et pourquoi pas à l'hosto, je vous le demande un peu ?

Tout le monde se bidonnait en douce, sauf les surveillants

qui étaient installés sur des fauteuils, au premier rang, très sages et très studieux, et je note tout ce que vous dites, M. le directeur, vous avez vu que je note tout ? Faudra pas m'oublier pour la prime, non, mon petit, vous êtes un bon élément, l'Assistance publique peut être fière de vous...

Ils avaient même des calepins pour ne rien perdre des paroles du maître ; moi aussi j'aurais dû noter, des conneries pareilles, ça s'entend pas tous les jours.

Nous les sous-fifres, les moins-que-rien, les traîne-savates, les damnés de la terre, on se fourrait les doigts dans le nez en rêvassant, on lisait *Paris-Match* ou on reluquait les jambes des copines, surtout la petite rousse du deuxième étage, bâtiment Sud.

M. Hassouf, tout essoufflé après avoir lu son papier, a passé la parole à Mlle Bluquat, la psychologue. Eh oui, n'allez pas croire qu'un vieux cancéreux qui s'effiloche par tous les bouts n'a plus besoin de psychologue ! De « spychologue », comme le dit Glaodec.

Jusqu'à l'hosto, ils sont venus planter leurs crocs, ceux-là. Rhan... Bien fort que je m'accroche aux apprentis cadavres. Leurs canines voraces enfoncées dans le gras des jugulaires séniles, les psychologues traquent le signifiant et sucent bien fort, à fond. La béance du désir au troisième âge, c'est quelque chose qu'il ne faut pas laisser échapper. À aucun prix.

Mlle Bluquat, j'ignore où ils l'ont dégottée, mais je vous jure qu'elle est gratinée ! Son numéro a consisté à nous faire des remontrances sur notre conduite à l'égard de nos pensionnaires, qu'on ne bichonne pas assez, à son goût. Oui, en vérité, je vous le dis. Les mains dans la merde, c'est pas son rayon, à celle-là, huit heures par jour. Le signifiant ça pue moins, le signifiant ça tache pas. Alors voilà, bande de pégreleux, faudrait voir à être plus joyeux avec nos malades, à « les entourer d'un meilleur climat affectif ». D'où le bal masqué.

Un de ses coups les plus fameux, à Mlle Bluquat, ce fut l'histoire des étiquettes pour les lits. Un jour qu'elle se baladait dans les services avec sa robe fendue jusqu'à mi-cuisses qui fait friser l'apoplexie à plus d'un sexagénaire, et même d'un quadragénaire, et aussi à moi, qui ai vingt-quatre ans, et je ne sais pas comment on dit dans ces cas-là, un jour donc, qu'elle traînait dans les couloirs, elle s'est dit comme ça que les numéros sur les lits, ce n'était pas humain. Il y avait nécessité de personnaliser, de toute urgence : « L'institution devait reconnaître le vécu individuel de chaque malade... »

D'autant plus, c'est vrai, que pas mal de mémés ne peuvent plus lire correctement leur numéro et vont se coucher dans le lit d'une autre, ce qui provoque des castagnes épouvantables, des crêpages de chignons saignants. Dans certains cas, on est obligé de leur accrocher des pancartes dans le dos, avec leur nom et leur numéro de piaule.

Il y a aussi les petits vieux tellement à côté de leurs pompes qu'ils ne savent plus où ils sont. Devant le bloc opératoire, ils vous demandent froidement où se trouve l'entrée du métro Blanche !

Alors Mlle Bluquat s'est amenée un beau matin avec un gros paquet d'étiquettes multicolores piquées à sa frangine, institutrice en maternelle. Sur les étiquettes, il y avait des dessins de petits animaux et des mickeys.

Elle a collé ses papiers partout dans l'hosto, sur les feuilles de température, sur les lits, sur les bassins, sur les portes, partout, partout. Allée des Castors, ascenseur Renard Blanc, lit Pluto, dentier Blanche-Neige, vous voyez le genre.

Elle a aussi tenté d'épingler un Jiminy Criquet resplendissant sur la chéchia de Glutin, mais il lui a collé sa rocailleuse main arthritique au panier et elle s'est sauvée en courant et en hurlant.

Comme support au signifiant, c'était pourtant clair et, du point de vue béance du désir, ça ne laissait pas planer l'ombre d'un doute... Allez y comprendre quelque chose.

Bref, les belles étiquettes n'ont pas pu « améliorer le contexte relationnel de l'hôpital », parce qu'elles ont été bouffées avec le potage vermicelle ou ont servi de papier hygiénique, malgré leur face adhésive.

Après le show de la psychochose est venu un lascar démentiel qu'on nous a présenté comme étant « l'animateur ». Sa devise était : « AVEC MAX, LA TRISTESSE S'EFFAXE » ; il se prénommait Max... Un joyeux drille yau-de-poêle.

Max a tout pris en main, de l'organisation du repas à la distribution des costumes. Chacun devait s'enrôler dans une « brigade d'animation ». Chaque brigade avait son rôle à jouer dans la mise en place du décor de la grandiose soirée.

Il y avait une brigade petits-chapeaux-pointus, une brigade pipis-cacas, une brigade petits-fours-pour-les-médecins, etc.

J'ai été un des premiers à m'inscrire pour la brigade pinard, qui pouvait devenir stratégique pour la suite des opérations, comme j'en avais eu aussitôt l'intuition. Plus de gens seraient bourrés le soir de la Saint-Romanic, mieux cela vaudrait pour nous !

Et, les jours suivants, l'hosto s'est transformé en décor de cinéma. On aurait tourné un long métrage sur les fantasmes de Jérôme Bosch, ça aurait été bénin en regard de ce qui se tramait.

*
* *

Max avait installé le poste de commande de ses folies à l'ergothérapie. Toutes les tables avaient été pliées et entassées dans la pièce du fond, ce qui a pas mal fait râler Strapoulos, qui ne pouvait plus sculpter tranquille. Finis le tricot et la poterie, finis les colliers de perles, les coussins et le raphia ; de l'artisanal, on passait à l'industriel, du sordide, on en venait au grotesque.

Un camion est arrivé avec deux malabars qui ont déchargé des centaines de costumes, tous plus clinquants les uns que les autres. Ils ont tout rangé à l'ergo, où Max avait dressé une cabine d'essayage.

Il y avait de tout, pour tous les goûts. On trouvait des princes, des sorcières (on n'avait pas besoin de costards pour ça, merci bien), des vaches de chapeaux de cow-boys, des gladiateurs avec des épées en caoutchouc, des ponchos, des sapes de troubadours, des chevaliers très antiques, des cavaliers très en toc, des hippies, des gendarmes, des infirmières (??), des diables, des houppelandes, des bottes, des échasses, des lunettes avec des moustaches en laine attachées dessus, des dizaines et des dizaines de masques, des caisses et des caisses de serpentins, des ballots de confettis, des sacs de langues-de-belle-mère qui font pouêt-pouêt quand on souffle dedans.

Pour corser le tout, une voiture de la Société « Au fluide glacial et au poil à gratter réunis » a livré, au bas mot, un quintal de farces et attrapes.

Et vlan, nous avons eu droit aussi sec aux plus beaux souvenirs de la famille Glaodec. Les communions, les mariages, le baptême du petit Jules... Comment l'oncle Yvonic a volé la jarretière de la mariée, comment le camembert à musique a effrayé l'arrière-grand-père de la famille Sezenec, les fermiers du côté de sa belle-sœur, mais si, Frédéric, celle que sa fille est contremaître à la conserverie de sardines de Concarneau, vous vous rappelez pas ?

Pfff... Il ne s'arrêtait plus ! Pour le calmer, Budat lui a branché la porte de son fameux placard sur le 220. Quand il a voulu l'ouvrir pour nous faire admirer une de ses photos en costume breton, il a été très surpris et nous a chanté la *Paimpolaise*, tous les couplets, à trois reprises, en changeant d'octave à chaque fois.

Plusieurs jours durant, les travailleurs de la Santé (... grand S...) et les artistes du vieillissement en technicolor ont défilé dans la cabine d'essayage de Max pour se choisir un costume.

Mlle Soquet assistait l'animateur dans sa tâche ô combien rude. Elle remplissait des bons-pour à tour de bras. Le bon-pour ? Oui, le bon-pour à l'hosto, c'est la clé de voûte de toutes les activités thérapeutiques et terre à terre.

M'sieur l'menuisier-chef ? Manque un clou de 7 pour le cercueil du 675 : pourriez pas me faire un bon-pour ?

M'sieur l'intendant, sivouplé, j'ai perdu mes tickets de cantine et on n'en vend que mardi prochain, pourriez pas me faire un p'tit bon-pour pour que j'en aie d'autres ?

M'sieur le directeur, c'est la communion de la petite dernière, la semaine prochaine : y m'faudrait deux jours de repos. Un petit bon-pour ?

Le bon-pour, c'est le passe-partout, le passe-passe, le passe-droit de l'hosto, le génie qui vous ouvre toutes les portes. Sans bon-pour, impossible d'obtenir quoi que ce soit.

Le bon-pour, c'est la monnaie de l'hosto, son fric, son flic, aussi. Le bon-pour s'étale en lettres noires sur fond blanc sale, petit rectangle de papier glacé que détiennent les surveillants.

Le bon-pour donne tout, permet tout, le bon-pour cadre la vie des bons pour rien d'autre que pousser les chariots ou balayer par terre. Le bon-pour, dans bien des cas, remplace le bon point.

« Bon-pour M. Frédéric de s'absenter de son service un quart d'heure afin d'essayer son costume. Signé : Mlle Soquet. » Et voilà le boulot !

Je me suis choisi un costard resplendissant, un vrai harnais de malfrat, jaune canari, avec une casquette comme au *Balajo*, accompagné de godasses noires à guêtres blanches ; une limace mauve et un nœud pap' vert, j'étais très chouette. Max m'a également gratifié d'un tube de colle, pour me maquiller des cicatrices sur le visage.

Lepointre s'est attifé en gendarme, ce qui lui allait très bien. Parkinson, très cabotin, a opté pour un collant d'Arlequin. Strapoulos, majestueux, était très réussi en Néron. Glaodec n'a pas voulu démordre de Richelieu. La pourpre et la calotte seyaient très bien à sa trogne rubiconde et à sa connerie titanesque. Mlle Soquet, mutine, s'est toquée d'une robe de bergère. Peut-être espérait-elle se faire trousser sur une meule de foin imaginaire ? Budat n'a pu s'empêcher de donner dans la démesure en choisissant un accoutrement de satin bleu, parsemé d'étoiles de soie noire. Un chapeau pointu par-dessus tout ça, et il était persuadé d'avoir réincarné Merlin l'Enchanteur. Il s'est fait photographier déguisé, avec son matou empaillé et sa boule de verre... Non, je vous jure... !

Dans les couloirs, on rencontrait Landru, Cyrano, Groucho Marx, Blanche-Neige (une infirmière) et la sorcière (une mémé), Mme de Maintenon, Goldorak, Butch Cassidy, Ponce Pilate, et M. Hassouf, mais là ce n'était pas un déguisement, c'était le vrai. Tout le personnel a défilé chez Max, sauf les médecins, parce que quand même. Il y a eu une engueulade à ce propos entre Max et le docteur Bantrek qui voulait interner l'animateur dans un service de psychiatrie.

Tous les vieux n'ont pas eu un costume complet, il n'y avait pas assez de bons-pour. Et Max a compris sa douleur quand certains mauvais plaisants ont fait caca dans leur déguisement lors de la séance d'essayage ! Il s'est alors rabattu sur la formule : un masque-un chapeau-une farce-un paquet de confettis pour les trop séniles.

Tout le monde se marrait comme des bossus, y compris les bossus qui se fendaient la gueule comme les autres. Y a pas de raison. La vie de l'hosto continuait dans son train-train de prothèses mal emboîtées, de biopsies vachardes, de ponctions lombaires saignantes, de radios endiablées, d'examens sournois, de visites nonchalantes, d'opérations en règle, d'accords de la Sécu refusés et d'assistantes sociales larmoyantes.

Les blouses blanches en goguette, les stéthoscopes baladeurs, les seringues en folie, le satin des costumes, les paillettes du maquillage, tout cela ne parvenait pas à chasser l'odeur de poubelle à douleur, de fosse à agonie.

L'odeur de sang et de cadavre, l'odeur d'angoisse et de mépris. La Mort et la Merde...

5

Et vint la soirée fatidique de la Saint-Romanic. J'avais quitté mon service à quinze heures trente, comme tous les jours. Tout le personnel était instamment prié de participer au bal masqué moyennant une journée de congé supplémentaire à choisir selon le gré de chacun. Quand il le faut, M. Hassouf sait se montrer magnanime !

Les syndicats avaient un peu râlé à propos de la soirée, demandant notamment d'où venaient les fonds destinés à cette fastueuse mascarade.

Et le maître leur avait expliqué que l'hosto était à présent doté d'un budget « spécial animation ». D'autre part, les « Petits Papillons Bleus », ainsi que se nomment eux-mêmes les crapauds de sacristie qui tendent leur sébile en pleurnichant sur les marchés du département tous les dimanches matin, avaient versé un fonds de soutien pour que nos aînés « connaissent à nouveau la joie, ne fût-ce que l'espace d'une soirée »...

Tu parles ! Les Papillons Bleus en question ne viennent jamais poser leurs délicates petites pattes sur les plaies purulentes, tout au long de l'année, mais ils sont prêts à venir faire les andouilles avec les vieux, devant la télé régionale, histoire de se caresser l'intellect, de se flatter le nombril, de se masturber la glande à pitié, afin que repose en paix, sans vibrations intempestives, la purée gélatineuse qui leur fait office de Conscience. Avec un grand C.

J'ai filé à Paris, louer une voiture, une 204 blanche, que je suis allé garer dans une petite rue derrière l'hosto, près de la station-service qui est au bord de la nationale. Chez moi, j'ai fait le ménage, j'ai brûlé tous les papiers, toutes les photos.

J'ai versé le sable du punching-ball dans le vide-ordures et j'ai poussé un petit roupillon.

À dix-huit heures, le réveil a sonné. Le temps de casser une petite graine, de m'habiller, et j'ai claqué la porte de mon doux logis. Le bruit du bois sur le chambranle a résonné dans ma tête comme un coup de gong. Telle la chrysalide abandonnant son cocon (n'ayons pas peur des clichés !), Frédo-le-Minable, Frédo-le-Pousse-chariots, prend son envol.

Frédo fait peau neuve, braves gens ! Frédo en a sa claque de la grande bâtisse bleue ! Frédo en a ras-le-bol de la blouse blanche, Frédo en a ras le bol du lupanar à virus... Frédo dit merde à l'usine à souffrances, Frédo dit merde à la ruche à symptômes, Frédo dit merde et merde au carton de la pointeuse, à la mécanique du temps volé. Et, ce soir, Frédo sera riche !

Devant la grande entrée, les insectes (Papillons Bleus) avaient installé un large calicot où était inscrite cette belle maxime : « Vive la joie. »

Un haut-parleur déversait une mélasse musetto-folklorique, ponctuée des « olé, anda » des chœurs de l'orchestre qui avaient commis ce disque innommable.

Ah, pas de doute, c'était la fête. Beaucoup de gens étaient déjà déguisés parmi les infirmiers. Ils déambulaient dans les couloirs, devant la réception, garnie de fleurs pour l'occasion. Ils se faisaient mutuellement admirer leur accoutrement.

Max courait dans tous les sens, sapé en M. Loyal, agitant des feuilles de papier et des carnets numérotés, s'époumonant à appeler les responsables des brigades d'animation.

Des livreurs de Suma se frayaient à grand-peine un chemin parmi tous ces tordus pour aller déposer leurs caisses de victuailles dans le gymnase. L'équipe de la télé régionale est arrivée, avec tout son attirail, se préparant aux prises de vues.

Les pétasses à cornettes du couvent voisin butinaient de groupe en groupe, tout sourires, le cul-de-poule qui leur sert de bouche frémissant d'aise sous les gloussements aigus qui leur jaillissaient de la gorge. Glutin, déjà costumé, s'approcha de moi pour me chuchoter à l'oreille quelque borborygme graveleux dont le sujet cernait en gros le célèbre thème de la main des nonnes et de la culotte des zouaves.

À marche forcée, les ascenseurs déglutissaient leurs chargements bariolés de défunts en sursis, vêtus pour la parade.

Les vieux s'agglutinaient au fur et à mesure de leur arrivée dans le grand couloir qui mène au gymnase.

La salle de la parafango était transformée en réserve à boissons et, à ce titre, farouchement gardée par le clan des Auvergnats. Blastaquet, déjà complètement bourré, tentait vainement d'inscrire sur un calepin crasseux le nombre de caisses de jus de fruits qu'apportaient les livreurs.

Dans le feu de la panique, Louvrac alias Parkinson s'est pris un coup de cageot d'Orangina en plein pif et est allé valdinguer dans les câbles d'une caméra que deux types de la télé poussaient vers le lieu du spectacle.

Pour bien faire, il a ensuite décidé de s'étaler de tout son long sur une table de petits fours que le traiteur s'échinait à glisser en fendant la foule vers les boxes des kinés, où devait se tenir le pot des médecins.

Cette rencontre inopinée avec un matelas de crème pâtissière a enrichi de taches inspirées le tissu de sa combinaison d'Arlequin. Je suis allé le féliciter sans plus attendre pour l'astuce de cette trouvaille.

Après avoir congratulé Parkinson, j'ai filé en ergo, enfiler mon costume. Devant la glace, je me suis tracé une grande balafre sur la joue, grâce à la colle-maquillage de Max. Avec une tronche pareille, j'aurais fait peur à Mesrine.

Dans le couloir, je me suis retrouvé nez à nez avec un splendide brigadier de la Gendarmerie nationale, qui n'était autre que Lepointre. Le malfrat et le pandore, peut-être allions-nous devenir le couple de la soirée ?

— T'as garé la caisse ? m'a-t-il demandé.

— Oui, oui, j'ai les clés, et le plein est fait. J'ai roulé un peu avec, cet aprèm', histoire de l'avoir bien en main...

— T'as bien fait ; et le reste du matos ?

— Dans le coffre...

— Avec le Luger ?

— Affirmatif, brrrigadier

— Fais pas l'andouille ! Bon, on ira le récupérer tout à l'heure, quand le cirque aura commencé. Tu vas voir, d'ici une ou deux plombes, ils vont tous plonger dans le délire. Personne ne remarquera qu'on a disparu. Avec la panique que les sirènes vont déclencher, plus l'arrivée des lardus, y a pas de bile à se faire...

Nous avons rejoint les fêtards massés devant la porte du gymnase, pour l'instant close. Glaodec avec sa soutane rouge paradait devant les rideaux masquant l'entrée de la salle des réjouissances aux curieux.

Tout à coup, les portes se sont ouvertes et les convives se sont précipités sur les lieux de l'orgie. Glutin en tête, charioté par une opulente sœur qu'il s'était affectée d'office, à son usage exclusif.

Quel décor féerique ! Guirlandes multicolores, chaînes d'ampoules clignotantes, neige artificielle, le tout sentant l'économie, le n'en-mettez-pas-trop. Le budget « animation » ne devait pas peser bien lourd.

Dans le fond du gymnase étaient alignés les stands de bouffe, tenus par des infirmiers. Chaque malade avait un petit carnet à souches représentant des points qu'il devait remettre au tenancier de chaque stand. Pas de truandage possible : s'agissait pas de biaiser pour avoir une orange de plus...

Les zorros gâteux, les cow-boys sexagénaires, les gladiateurs tremblants, les chevaliers fripés, les Indiens cacochymes se sont rués en boitillant vers les étalages de bouffe.

Et allons-y la marmaille sénile, ne vous gênez pas, empiffrez-vous, oubliez vos diabètes, vos régimes, vos hypertensions, bouffez, bouffez, bouffez !

À pleines mains, à pleins dentiers, avalez-les, les tartines de pâté prisu, goinfrez-vous-en, des babas au rhum congelés, c'est l'Assistance publique qui casque. Allez, allez, c'est la joie, buvez, bouffez, rotez ! On ne vit qu'une fois !

Terrible et honteux tableau que celui de ces vieillards humiliés dans les rires. La colère nous a envahis d'une seule bouffée, la grosse colère sourde, celle qui casse tout. Nous nous sommes mutuellement calmés : nous devions rester sages, quoi qu'il advienne. J'ai souri d'un air niais à Glaodec qui me tendait une tartine de fromage de chèvre.

*
* *

Quand les ventres flasques furent pleins, un certain silence se fit. D'un bond gracieux, Max s'élança sur l'estrade pour répandre l'allégresse.

Les aides-soignants de service ce soir-là amenèrent des chaises et des fauteuils pour que la joyeuse compagnie pose ses fesses ridées sur des sièges confortables à souhait afin de jouir au mieux du spectacle.

Et, tout d'abord, l'élection du couple roi de l'hosto. Approchez, mesdames et messieurs, qui est candidat ? Max hurlait dans son micro, rameutant sur l'estrade tout ce que l'hosto comporte dans le style crème d'andouille.

— Couple numéro 1 : on les applaudit bien fort... Le cardinal et la bergère ! Monsieur ? Comment ? Oui, Glaodec ? Que faites-vous ici ? Surveillant de rééducation ? Il est surveillant de rééducation, on l'applaudit bien fort... !

Les vieilles mains des vieux, à la paume usée par la pioche ou la serpillière maniée des années durant, crépitaient faiblement, tandis que les bouches édentées piaillaient des bravos ténus.

Du côté personnel, c'était la grosse hilarité. Les joues cramoisies, Glaodec et Mlle Soquet chantaient en chœur la *Java bleue*, celleu-qui-ensorcé-é-leu, et-queu-l'on-on-dans'-les-yeux-dans-les-yeux.

Tous les couples candidats sont montés sur l'estrade et en ont poussé une petite. Les types de la télé n'en croyaient pas leurs yeux ; forcément, quand on n'est pas prévenu...

Après que tous les couples furent passés, la salle a voté à l'applaudimètre pour élire les plus cons. Glaodec et Mlle Soquet ont devancé tous les autres, sans problème.

Ensuite, les artistes en catégorie individuelle. Glutin nous a interprété de sa voix chevrotante *Les Gaulois sont dans la plaine* et Mlle Blandeux a braillé ses sempiternelles *Roses blanches*. Et d'autres... Glutin a emporté le lot : un jeu de mille bornes. Il était content avec ça, tiens !

On a eu droit, sitôt le radio-crochet terminé, à quelques dessins animés et à un spectacle de clowns, ce qui était superflu.

Lepointre et moi, nous commencions à nous impatienter. Dans ma brigade, les gens tournaient dans les allées, entre les spectateurs, des bouteilles plein les bras.

Budat nous a fait un numéro de magie, en loupant tous ses tours, mais tout le monde s'en foutait, c'est l'intention qui compte.

M. Hassouf était aux anges. Cette soirée, quelle réussite ! N'est-ce pas, monseigneur ? Eh oui ! On a même vu l'évêque. Mais, quelque part sous sa mitre, il a dû entendre que l'Éternel n'appréciait pas le guignol, car il s'est éclipsé rapidement.

21 h 30. Je regardais ma montre toutes les dix secondes. Le bal allait commencer.

— Taratsoin, youpi ! Salut, les amis, c'est moi Tony Celtic et mes Rythmes qu'on va vous faire guincher ! Et c'est parti avec *Fleur de Musette*, not' morceau favori !

Un accordéon essoufflé, une vieille batterie percée plus une trompette pleine de rustines, il n'était pas piqué des vers, l'orchestre du bal masqué !

Des costards à paillettes râpés, de la gomina sur les tifs, une technique instrumentale plus qu'approximative, Tony et ses sbires ne risquent pas de grimper bien haut dans le hit-parade. Leurs compétences relèvent plutôt d'un gala de 14 juillet à Saint-Gouldas-des-Bousardiers !

— Alors, Lepointre, tu crois pas que c'est l'heure d'aller chercher nos petites affaires ?

— Patiente un peu, Frédo, ça commence tout juste à danser...

Nous étions accoudés au bar, occupés à dévisager les danseurs en adressant des salut-ça-va à qui mieux mieux. Les lumières se sont tamisées, les vieux ont quitté la piste de danse, les travailleurs de la Santé (... S...) y sont entrés pour un slow hospitalier bien moite. L'accordéon de Tony en fumait de douleur, sous la main nerveuse de son maître. Dans les recoins de la pénombre, des mains arthritiques farfouillaient dans des dentelles flétries. Près de la crèche, sous le regard morne des santons, je vis même une bouche édentée prendre possession d'un cou goitreux. La tendresse tombait sur tout ce petit monde, enveloppant les corps souffrants de sa grande aile protectrice. Hospice and Love...

22 h 15. Il y eut un ou deux tangos, trois slows et un fox-trot, ainsi qu'une danse du tapis. Glaodec est tombé en se prenant les pieds dans sa soutane, ce qui a beaucoup plu à l'assistance : le chef kiné sait briller en société.

— Allez, Frédo, on va chercher le matériel.

D'un pas tranquille, chacun par un côté de la piste, nous avons quitté le gymnase ; nous nous sommes retrouvés devant la radio.

— Alors, p'tit gars, ça gaze ?

— Oui, et toi, Lepointre ?

Sans vouloir nous le montrer, nous ressentions tous deux la grosse barre de la peur au niveau de l'estomac. Le trac irrépressible. En nous donnant la main, nous nous sommes dirigés vers la sortie du bâtiment Sud, celle qui donne sur la petite entrée de l'hosto.

L'air frais de la nuit nous a ragaillardis. Le silence nous a rassurés, bizarrement. Derrière nous, l'hosto dressait son énorme masse grise et un petit crachin glissait des nuages. Il pleuvait comme à regret.

Nous avons levé les yeux vers la façade du bâtiment Nord. Là-haut, au troisième étage, vacillait la lumière de la veilleuse de la chambre de Mme d'Artilan. Le docteur Bantrek avait interdit qu'elle descende au gymnase, vu son état. On ne valse pas avec un col du fémur en bouillie. Et, de toute façon, elle n'aurait sans doute pas voulu s'éloigner de son magot.

Sous la pluie qui se faisait plus insistante, nous avons pressé le pas jusqu'à la petite rue où j'avais garé la 204. Du coffre, j'ai retiré le grand sac de plastique contenant notre petit nécessaire à hold-up. J'avais pris soin d'enfiler des gants de soie avant de tripoter le sac. Et nous sommes revenus vers les flonflons du bal, sans échanger une parole.

Nous avons déposé notre chargement dans le kiosque à journaux-épicerie qui se trouve près des bureaux de l'administration, coin totalement désert ce soir-là.

La nuit, le kiosque reste ouvert, le type qui s'en occupe ne ferme que les placards. Puis nous avons regagné le gymnase.

— Frédo, à partir de maintenant, on va se faire voir au maximum dans le bal. Tu vas inviter toutes les infirmières à danser et moi, je vais faire le singe à la buvette. Les gens garderont le souvenir bien net de notre présence. N'ayons surtout pas l'air de conspirateurs isolés. Le moment venu, faudra se tirer en douce. Quand on aura la mallette, tu pourras filer peinard et moi, je redescendrai jouer les curieux devant les flics. Laisse la mallette à la gare de Lyon, comme prévu, et reviens vite chez toi. Fais du bruit, je sais pas, moi, mets la musique à fond, fais semblant d'être bourré, que tes voisins te remarquent, au cas où on te demanderait comment t'as fini la soirée.

— T'inquiète pas, je connais le scénario...

Et la fête continuait. Olé ! Pas mal de vieux roupillaient dans les coins, avachis sur leur fauteuil. Le sol était jonché de papiers gras, de débris de gâteaux, de rognures de saucisson, de confettis et de serpentins. Malgré la désaffection des plus secoués, l'ambiance ne tournait pas à la morosité.

Max avait tombé la veste, ainsi que Tony Celtic et ses Rythmes. De temps à autre, une sono branchée sur la stéréo personnelle de M. Hassouf venait les relayer dans leur dur travail.

Des petits groupes s'étaient formés, dans les couloirs, autour de la buvette. L'endroit le plus animé était le bureau des kinés où se tenait le pot des médecins.

Le gratin de la maison dégustait les victuailles amenées par le traiteur. Plaisanteries salaces, chansons à boire, les carabins s'en donnaient à cœur joie. Picasseau semblait passablement éméché, ainsi que le docteur Bantrek.

Il a fallu danser. Lepointre s'est fendu d'un tango braqueur avec Mlle Bluquat, la psychologue. Moi, j'ai invité Mme Blandeux, ce qui n'était pas un cadeau ! Un paso doble endiablé qui ne l'empêchait pas de fredonner ses éternelles *Roses blanches*.

Tout de suite après, Mlle Soquet m'a sauté dessus, me traînant sur la piste, bien au centre, en m'enlaçant vigoureusement. Elle se déhanchait avec une langueur qui se voulait sensuelle, sur les accords poisseux de *Stranger in the Night*.

Elle murmurait à mon oreille « doubidou bidou » en frottant sa poitrine maffflue (oui, maffflue) contre mon torse, tandis que ses doigts, à la faveur de l'obscurité, me caressaient la nuque.

Je sentais, dans mon crâne, souffler le vent de la panique ! J'allais crier, car elle me donnait à présent des poussées légères et ondulantes sur le bas-ventre, quand soudain la musique s'est arrêtée : Parkinson venait de bousculer la platine.

J'ai filé vite fait derrière un groupe de pépères réunis pour vider les fonds de verres qu'ils collectaient au hasard des tables désertées. De là, elle ne pouvait me voir.

Elle s'est rabattue sur mon copain Taulet : ah ! désolé, ce n'était plus mon problème ! À vingt-trois heures, j'ai rejoint Lepointre devant l'ergo : c'était parti !

*

* *

J'avais laissé mes vêtements civils près du four à poterie, dans la salle d'ergothérapie. Silencieusement, j'ai poussé la porte sans que personne me voie entrer.

Dans le noir, je me suis dirigé vers mes affaires. Se déshabiller dans la pénombre, c'est un exercice périlleux. En tâtonnant, j'ai retrouvé mon jean, mon pull, mes godasses, fait couler de l'eau du robinet, un mince filet, pour effacer ma cicatrice.

Le visage bien net, je suis retourné à pas feutrés près de la porte, pour attendre Lepointre. Si quelqu'un d'autre que lui était entré, j'aurais pu me cacher derrière les bottes de rotin...

Derrière la vitre, j'ai vu, quelques secondes plus tard, se détacher la silhouette massive de mon pote. Il a poussé la porte sans bruit. J'ai enfilé mon nouveau costume et collé le masque sur mon nez. Un malfrat et un gendarme avaient quitté le bal quelques instants plus tôt : sur l'uniforme de Lepointre et sur mes vêtements s'étalaient deux robes de moine, dotées de grands capuchons tombant très bas sur le visage.

Le minois des deux ecclésiastiques était en outre dissimulé par des loups de soie noire. Impossible de distinguer leurs traits !

On avait piqué tout ça à Max pendant les séances d'essayage. Les robes de bure avaient patienté en attendant le grand soir, chez moi, sagement pliées au fond d'un placard...

Lepointre a mis des gants, j'ai repris les miens au fond d'une poche. Il tenait à la main un sac contenant le Luger (non chargé), une hachette, un chalumeau de poche et un petit pain de plastic, ainsi qu'un détonateur qu'Armand nous avait fourni...

Lepointre espérait faire céder les filins à la hache, mais si l'examen du placard où était enfermée la mallette démentait cette possibilité, il y aurait deux solutions de rechange : le chalumeau ou le plastic !

Pour le vigile, de la douceur avant toute chose : une petite bombe de gaz incapacitant ainsi qu'une seringue de penthotal l'empêcheraient de se montrer gênant.

C'était très faible en face de son revolver, bien sûr ! Mais, honnêtement, deux gugusses bourrés et déguisés en moines, qui vous offrent un coup à boire en passant dans le couloir, ça inspire la méfiance ? Dans cet hosto de fous ? Non... Il suffisait d'un instant de doute, que Lepointre puisse l'approcher, hop, la bombe et ensuite la piquouze... Dodo, le surhomme !

Sans nous presser, nous nous sommes éloignés de la fête et de son vacarme. Personne, parmi les rares pékins qui traînaient dans les couloirs, ne faisait attention à nous. D'ailleurs, il s'agissait soit de vieux tocards gagas, soit d'infirmiers ronds. On commençait à coucher les pépés fatigués par la radieuse soirée.

Nous avons pris le couloir du rez-de-chaussée, vers le bâtiment Nord. À la main, je tenais la bouteille de whisky dont j'allais proposer une rasade à l'homme de l'ACSE tandis que Lepointre lui balancerait une giclée de gaz dans les gencives.

Au bâtiment Nord, nous avons fait une halte pour téléphoner à nos amis du commissariat. Lepointre a glissé une pièce dans l'appareil, a composé le 17. Une bande magnétique a répondu, dans un premier temps :

— Vous avez demandé la police, ne quittez pas, on va vous répondre. Vous avez demandé la police, ne quit... Allô ? Oui ? J'écoute ?

— Allô ? Venez vite, venez vite, un accident, un terrible accident ! Devant le supermarché, sur la nationale ! Un camion qui s'est renversé, il y a des morts, sans doute... Venez vite... !

— Je note, je note, qui est à l'appareil ?

— Chez Loulou, le café en face du supermarché. Venez vite... Ouille, encore une voiture...

Et Lepointre a raccroché. Nous allions traverser le couloir pour entrer dans l'ascenseur lorsqu'une voix provenant de la grande allée du bâtiment nous dissuada de quitter notre cachette.

L'hosto est impressionnant, la nuit, avec ses longs corridors blanc et bleu, faiblement éclairés par les néons blêmes des veilleuses.

C'était une voix de femme, qui chantonnait doucement. La

chanson envahissait le couloir, chassant le silence à peine troublé par le ronron des compteurs électriques. De l'endroit où nous étions, on ne pouvait nous voir, et Mme Clara nous dépassa, sans même soupçonner notre présence.

Mme Clara, l'ancienne pute du Sébasto, la dame aux grands yeux tristes qui passe ses journées à l'ergothérapie, assise dans un coin, un peu en retrait. Mme Clara qui, des heures durant, tricote sans y croire ou feuillette de mauvais romans-photos.

Jamais auparavant je n'avais entendu le son de sa voix. Une voix douce et modulée, qui me surprit beaucoup. Une voix chaude et ronde, onctueuse et légère. *Parlez-moi d'amour, redites-moi des choses tendres*... Elle ne savait plus les paroles de la chanson, seulement la mélodie qu'elle fredonnait en faisant lalala.

Des choses tendres, tu ne dois plus en entendre souvent, Mme Clara, entre les gueulantes de Glaodec et les râles de tes copines de chambre, la nuit. Les choses tendres et les gens qui parlent d'amour, tu y penses, pourtant, mal fagotée dans ta robe de chambre mauve, trop grande pour toi. La robe de chambre qu'ils t'ont donnée, quand tu es arrivée ici, à l'hosto. Ce costume de vieille malade qu'ils t'ont généreusement offert après avoir confisqué tes affaires, enfermées dans la petite valise de carton que garde la surveillante.

Et, ce soir, ils t'ont demandé de te déguiser, de faire semblant. Tu aurais pu choisir une robe de marquise ou un costume rigolo, mais non, tu t'es vêtue en Pierrot, toute blanche dans ton pyjama de satin avec de grands boutons noirs. Et tu t'es maquillée. Tu as retrouvé ces gestes de femme qui n'ont plus cours, ici, à l'hosto. Tu as recouvert ton visage de fond de teint, pour cacher tes rides, pour effacer les années passées sur le bitume du Sébasto.

Tu danses lentement, en marchant seule dans cet immense couloir dont les portes s'ouvrent sur la mort. Tu tournes sur toi-même avec élégance, en faisant virevolter les manches amples de ta veste de Pierrot. Et de tes yeux coulent des larmes.

Dans ce couloir sinistre, tu t'éloignes de moi qui me cache contre le mur. Tu ne m'as pas vu, tu t'en vas comme un fantôme. Tu as disparu et je n'entends plus ta voix, Mme Clara.

Après que Mme Clara eut disparu, nous avons traversé le couloir et appelé l'ascenseur. Les lourdes portes de fer se sont refermées sur nous. Les lourdes portes de fer qui, d'habitude, coincent allégrement les doigts fébriles des vieux ! Lepointre a pressé le bouton.

De la chambre de Mme d'Artilan, on ne peut pas voir l'ascenseur. À chaque étage, celui-ci débouche sur une petite place qui coupe le couloir en deux. Les chambres s'étalent à droite et à gauche. Près de l'ascenseur, il y a les offices et le bureau des surveillantes.

Personne : tout le monde était à la fête, et le standard des urgences avait été concentré à l'internat. Si un vieux sonnait, ça résonnait au rez-de-chaussée, d'où une brigade d'urgence se tenait prête à intervenir. À la troisième ou quatrième sonnerie, avaient convenu les internes de garde : pas question de se faire déranger un jour pareil pour un pipi-caca laborieux ou pour une cuillerée de sirop...

Nous sommes entrés dans un office, pour nous préparer. Nous avons ajusté nos masques, pour ne rien laisser transparaître de nos trognes exaltées, vérifié que nos robes de bure tombaient bien bas sur nos godasses. Lepointre a enroulé le cordon du sac de plastique contenant le matériel autour de sa ceinture, ne conservant à la main que la bombe de gaz incapacitant, débouchée. Moi, je tenais la bouteille de whisky et, dans ma manche gauche, je dissimulais la seringue.

Lepointre a appuyé à nouveau sur le bouton de l'ascenseur, pour que les portes claquent, comme si nous arrivions juste. Nous devions nous engager dans le couloir en entonnant le premier couplet de *Les Gaulois sont dans la plaine*, ainsi que Glutin nous en avait donné l'idée ; et en titubant, puisque nous étions censés être totalement ivres.

Les portes ont claqué, nous avons pénétré de deux pas dans le couloir, en direction de la chambre 9, en braillant à pleins poumons :

— *Les Gaulois sont d...*

Nous n'avons pas eu le temps de finir, car, dans le silence de la nuit hospitalière (mais très peu hospitalière... vous suivez ?), nous avons entendu le ululement des sirènes d'alarme...

6

Figés comme sur une photo, comme deux locdus dans nos fringues de bénédictins, on avait l'air fin !

J'ai laissé tomber ma bouteille qui a claqué d'un coup sec sur le sol, déversant librement le whisky. La seringue suivit le même chemin, mêlant son contenu incolore au William Lawson's.

Dans la chambre 9, nous avons entendu un cri, suivi d'un choc sourd. Et c'est alors que, portant nos regards vers la porte de la caverne aux bijoux, nous avons vu par terre le bras du vigile de l'ACSE, à la main crispée, dont les ongles en sang finissaient dans un dernier spasme de labourer le lino.

Le bras, comme d'habitude, se poursuivait par une épaule qui avait coutume, en compagnie de sa collègue, de supporter, une tête. La casquette avait glissé sur le côté, vers l'intérieur de la chambre, dénudant un crâne chauve et bosselé. En dessous de la calvitie, entre un nez aquilin et une bouche aux lèvres épaisses, il y avait la place pour deux yeux, ce qui n'est pas très surprenant.

Ce qui l'était beaucoup plus, c'était le regard qu'exprimaient ces yeux. Le droit, grand ouvert, la pupille dilatée, n'en finissait plus de s'étonner ; le gauche, disparu à tout jamais et remplacé par un trou rouge, crachait du sang, en petites quantités, par pulsations régulières.

La balle qui lui avait rendu visite avait traversé l'occiput et était allée se ficher dans le mur de la chambre. Un filet de sang glaireux dégoulinait lentement de la bouche, accompagné de vomissures diverses. Sans autre plainte que de petits hoquets d'enfant, le vigile de l'ACSE crevait...

Nous n'avions pas avancé d'un mètre dans le couloir et nous nous apprêtions même à reculer, moi en tout cas. Comme une tornade, une silhouette blanche de médecin, petit calot de salle d'op', masque antiseptique, s'est précipitée hors de la piaule, la mallette de la mère d'Artilan à la main, les deux fils noirs pendants, arrachés. Le type était très grand, très costaud, et très calme. Sans nous dire un mot, il nous a fait face et a pointé vers nous le canon d'un revolver énorme muni d'un silencieux.

On avait notre Luger, mais ce n'était pas avec cette pétoire sans munitions qu'on pouvait lui tenir tête. D'autant plus que l'homme au masque blanc venait de démontrer qu'il savait se servir de son appareil à supprimer les gêneurs.

D'un même élan, nous avons levé les bras. Visiblement, le type se foutait de nous comme de sa première sucette puisqu'il a tourné les talons, sans précipitation, et s'est mis à courir lentement vers le fond du couloir et l'escalier qui se trouve à l'extrémité du bâtiment Nord, dont les marches se terminent sur une porte : à vingt mètres de la petite entrée de l'hosto.

Il avait eu la même idée que nous ! Peut-être avait-il, lui aussi, garé une voiture dans la ruelle où j'avais rangé ma 204. Peut-être quelqu'un était-il en train de faire tourner le moteur en l'attendant... Lorsque l'assassin du vigile fut à la moitié du couloir, Lepointre a bondi. Vers la chambre 9. J'ai suivi ! Parce que j'avais bien trop la trouille de rester seul.

Je suis resté dans l'entrebâillement de la porte à contempler le désastre, nos beaux rêves évanouis. Hein ? Nos beaux rêves évanouis ? Encore des années à pousser les chariots ? À supporter Glaodec ? NON... Attends-moi, Lepointre, je te suis ! Et j'ai foncé dans le couloir, à la poursuite de la déloyale concurrence...

De la porte de la chambre 9, tandis que Lepointre s'affairait à retourner le cadavre du vigile pour lui prendre son revolver, j'ai pu voir le beau travail de l'artiste qui nous avait précédés.

Il avait abandonné les énormes pinces avec lesquelles il avait sectionné les filins, sur le lit de la vieille. Visiblement, l'outil lui avait également servi à calmer la propriétaire de la mallette, qui gisait on ne peut plus inanimée, à moitié par terre, à moitié sur le lit, un gros trou béant dans la tête.

Au grand galop, en retroussant nos robes de bure, nous étions à la poursuite du gentleman rectifieur de grand-mères et de barbouzes. D'un geste précis, tout en courant, Lepointre a armé le flingue. Pas de silencieux, sur celui-là : si on tirait, ça allait faire un sacré raffut !

Au bout du couloir, j'étais un peu essoufflé, à deux pas derrière Lepointre qui a pilé sec. Je me suis aplati contre son dos. Le lascar à la blouse blanche venait de disparaître dans l'escalier. On ne pouvait entendre ses pas : il était chaussé d'espadrilles légères. Mais il avait accéléré et l'on entendait la mallette cogner contre les murs. Pourquoi Lepointre avait-il stoppé sa course, je me le demandais bien.

— Frédo... C'est pas possible ! Regarde, mais regarde, nom de Dieu. C'est pas possible ?

Eh non, ça n'était pas possible, pas logique, pas prévisible : de la fenêtre de l'extrémité du bâtiment Nord, on avait tout le loisir de voir, de distinguer, d'apercevoir, de se rendre compte de cet étrange phénomène. Engagée dans la petite entrée, projecteurs allumés, sirène hurlante (plus aiguë que celle de l'hosto), qui voilà ? La camionnette bleu et noir de l'ACSE. Si !

Cinq ou six barbouzes en sont descendus, pistolet ou mitraillette au poing. Trois d'entre eux se sont déployés devant l'entrée, les autres ont commencé à avancer vers le bâtiment Nord. Vers nous ! Vers moi ! Devant mes paupières incrédules se dessinaient déjà de drôles de formes, rectilignes et noirâtres, mais qu'est-ce ? Ah, j'y suis, oui, les barreaux de la prison...

— Lepointre ! On se tire, vite fait, ça se gâte. Allez, viens, on remettra ça une autre fois, hein ?

— Ta gueule, Frédéric. Si on laisse passer ça, je me fous en l'air ! T'as la trouille de quoi ? On n'a tué personne, pour le moment, on n'a fait que passer...

Notre conversation fut interrompue par un bruit, celui de la mallette cognant à nouveau contre les murs, un bruit qui remontait de l'escalier, vers nous.

— Chut, Frédo, laisse-moi faire...

Notre concurrent s'était arrêté à l'étage du dessous. À toute vitesse, l'explication du pourquoi de la chose nous a traversé la cervelle, sans que nous ayons eu besoin d'ouvrir la bouche : le type voulait fuir par la petite entrée des livraisons, il dévalait les escaliers dans ce but, et, par la fenêtre, comme nous, mais deux étages plus bas, il avait assisté à l'étonnante scène de l'arrivée de la camionnette de l'Agence. La voie de sa fuite étant coupée, il remontait l'escalier.

De la main, Lepointre m'a fait signe de le suivre sans bruit. Et, mamma mia, il a descendu l'escalier, très prudemment, son flingue braqué vers le bas. Des coups de feu ont claqué, provenant d'en bas, de la pelouse, de la camionnette des vigiles. Des coups de feu isolés ; les barbouzes à la mitraillette se tenaient peinards, pour le moment.

Nous étions parvenus à l'étage du dessous. Collés contre le mur de l'escalier. Lepointre a penché la tête, à découvert du mur, pour observer le palier. Se tournant vers moi, il a pointé son pouce vers le haut, signe qu'à son avis tout allait bien... J'ai regardé moi aussi, l'espace d'une seconde.

Tiens, tiens, notre concurrent avait abaissé son masque antiseptique pour éponger la sueur qui perlait sur son visage : Bantrek, le médecin du bâtiment Nord en plein western, le revolver dans la main droite, la mallette dans la gauche. En voilà, de l'imprévu !

Il avait basculé la fenêtre du couloir et tirait sur les vigiles, au rez-de-chaussée. Il paniquait, c'était évident. Deux cadavres à son ardoise, plus ceux qu'il tentait d'ajouter à la liste en jouant de son arquebuse : ça sentait le roussi pour le disciple d'Hippocrate.

Son revolver crachait ses projectiles sans bruit, juste un petit rot métallique. Malgré le chant des sirènes, on percevait très nettement un hurlement de douleur, en bas, sur la pelouse. Bantrek devait avoir fait mouche une troisième fois sur un des occupants de la camionnette.

À chaque hoquet du flingue, Lepointre comptait « ... 4... 5... 6... ». À 6, il a bondi dans le couloir, derrière Bantrek. J'ai suivi. J'allais pas rester les bras ballants.

— Lève les mains et fais glisser ta valise vers moi, doucement ! a articulé Lepointre, à haute voix, à travers son masque de soie noire.

Bantrek s'est retourné d'un bond, sa pétoire braquée sur nous.

— Fais pas le con, toubib... T'avais six balles dans ton chargeur : une pour le vigile, là-haut, plus cinq que tu viens d'envoyer à ses copains, en bas. T'as plus rien dans ton canon. Alors, envoie la mallette, sinon je t'aligne...

Bantrek a pressé la détente, rageusement. J'ai sursauté, mais l'engin a juste émis un petit clic ridicule. Pour achever son effet, Lepointre a tiré une balle dans le plafond.

— Vous êtes cons, les moines, a ricané Bantrek... L'hôpital est cerné par les flics à la grande entrée et par l'ACSE ici. Jamais vous ne réussirez à vous tirer avec la valise !

Lepointre a avancé d'un pas encore, le revolver à la main et la bombe incapacitante dressée. D'un seul coup, il a balancé un jet de gaz vers le visage du médecin. Bantrek a lâché la valise, en reculant pour éviter le nuage incapacitant. Il en a quand même respiré un peu, ce qui l'a fait tituber.

Lepointre a récupéré la mallette sur le sol. Et demi-tour fissa-fissa dans les escaliers avec Frédo à ses trousses. À mi-étage, il a laissé tomber la bombe.

Tandis que le tube plein de poudre à endormir les méchants rebondissait sur les marches en chantant la complainte des emballages abandonnés, les godillots à clous de Lepointre et la semelle de mes baskets s'arrachaient du lino du couloir à la vitesse de cinq pas/seconde, en faisant des étincelles.

— Où on va ? ai-je soufflé entre deux sifflements de mes pauvres poumons surmenés.

— Sais pas, on court !

C'était clair, mais ça ne disait pas ce qui allait nous arriver quand les flics débarqueraient au bout du couloir. On allait être pris en sandwich entre les flics officiels et les privés.

Merde, à mon âge, je ne tiens pas à servir de bavure gratuite aux apprentis héros ! J'ai pas de prime de risque, moi ! Alors, Lepointre, t'as pas une idée ? Si, Lepointre a une idée.

Dans notre dos, au loin, les échanges de coups de feu entre Bantrek et la bande de Gueule-de-Fourche. Le toubib avait dû récupérer après les vapeurs anesthésiantes que la bombe lui avait fait inhaler, et, visiblement, il avait d'autres chargeurs dans ses poches. Mais il était à l'étage du dessous, peut-être à notre poursuite ? Ou bien avait-il décidé de laisser tomber les diam's et de sauver sa peau ?

Devant nous, l'enfilade du couloir du troisième étage, avec le bras du cadavre qui dépassait de la chambre 9, les débris de la bouteille de William Lawson's et les éclats de verre de la seringue. Une flaque gluante luisait sur le sol.

Et nous courions ! Attention à la flaque glissante, hop-là, c'est dépassé, tiens, le cadavre a fini de gargouiller. Devant l'ascenseur, Lepointre s'est raidi et a cessé de mettre une jambe devant l'autre. J'ai fait de même ; on a glissé, glissé, glissé. Zou !

Quand j'étais gosse, j'adorais ça, glisser sur les parquets bien cirés de l'école. Au coin du corridor, il y avait toujours le dirlo qui me collait une baffe, mais ça valait le coup malgré tout.

Quand il a eu fini de glisser, Lepointre a fait demi-tour, à nouveau direction la piaule n° 9.

— Ah, ça y est, t'as compris que c'était trop risqué, hein ? Tu remets la valoche ? Fais vite...

Mais non, il ne remettait pas la mallette, seulement le revolver dans la main du vigile... Et, se tournant brusquement, il a presque défoncé la porte de la chambre 6, de l'autre côté du couloir, la piaule de l'impossible pépé Lagoncière, encore au bal, puisque le lit était vide.

Il a posé un pied sur le rebord du lit, a agrippé solidement la mallette par la poignée, entre les dents, et m'a fait signe de lui faire la courte échelle.

Tandis que mes mains gémissaient sous les semelles cloutées de ses godasses, il a, d'un coup de poing mesuré, soulevé une des plaques du faux plafond.

Du fibrociment ou un matériau de ce genre. Toutes les canalisations, les installations électriques, les cafards, courent dans ce vide d'une quinzaine de centimètres compris entre le plafond d'un étage et le rez-de-chaussée de l'étage supérieur.

Dans le vide, il a introduit la mallette, après quoi il a rabattu la plaque. Ni vu ni connu ! Il a sauté sur le sol, m'a pris la main et m'a entraîné dans le couloir, après avoir fermé la porte.

Nous avons dévalé l'escalier, à côté de l'office. Dans les étages, on commençait à entendre des cris. Des vieux affolés. Les flics qui arrivaient, les sirènes, les coups de feu espacés de Bantrek et des vigiles.

Au palier du deuxième étage, nous avons fait une halte. Lepointre a ôté sa robe, retrouvant aussitôt son allure de gendarme. Il a arraché son masque et a roulé tout ça en boule avec le sac de plastique contenant encore le Luger, le chalumeau de poche, la hachette et le pain de plastic. Je n'ai pas attendu une heure pour faire la même chose...

Sans faire de bruit, nous sommes entrés dans un office, celui dont la fenêtre donne sur l'arrière du bâtiment Nord, c'est-à-dire pas sur la cour, surtout pas en vis-à-vis du bâtiment Sud. Il y avait tout à parier que, de ce côté-là, il y aurait du monde en bas, des flics, des gens de l'hosto. À voir un gros paquet descendre d'un étage, ils auraient eu l'attention braquée sur nous, ce qui était à éviter !

Lepointre a balancé son balluchon, qui est tombé comme une masse, lesté par les différents ustensiles. Ma robe, légère, s'est déployée comme un parachute, comme un fantôme de moine, flottant dans l'air, et ça, c'est poétique.

De retour dans le couloir, nous avons fait la rencontre de Bartan, le pauvre type qui tisse les mêmes coussins de laine depuis des lunes. Les couloirs étaient encore déserts, malgré le raffut des sirènes et les coups de feu des honnêtes redresseurs de torts.

Nous avons saisi ce qui était en train de se passer en distinguant la double provenance des détonations. D'un bout du bâtiment à l'autre, les flingues s'engueulaient en crachant leur bile métallique : les flics et les vigiles face à face, dans la demi-pénombre des veilleuses, aux deux extrémités des couloirs, se canardaient allègrement. Personne ne savait plus qui attaquait qui, qui était méchant et qui était gentil, et qui en voulait à qui, et qu'est-ce que c'est que ce cirque ?

Tout ce micmac n'avait pas l'air d'inquiéter Bartan, mais ce gars-là est totalement secoué, mais alors là totalement, et il ne se rappelle jamais d'une seconde sur l'autre ce qu'il a bien pu faire la minute précédente. Sauf ses coussins ; quand il est barré dans ses nœuds, ses points mousse et ses contre-nœuds, il n'y a que là qu'il s'y retrouve.

Budat dit souvent que Bartan était mouton dans une de ses vies antérieures et que donc, la laine, ça le connaît à fond. Il était visiblement paumé dans le couloir. Sa chambre n'était pourtant pas bien loin. On avait dû lui dire d'aller se coucher, l'expédier dans un ascenseur et il devait tourner en rond depuis pas mal de temps. Nous lui sommes tombés dessus à bras raccourcis et nous l'avons agrippé chacun par un bras.

— Alors, Bartan, fait bon, hein ?

— Bé voui...

— Tu t'es bien amusé ce soir ?

— Bé voui...

— Tu sais que t'es beau, déguisé en pirate ?

— Bé voui...

— Mais t'as l'air perdu ?

— Bé voui...

— C'est quoi, déjà, ton numéro de chambre ?

— Bé voui...

Chambre n° 16 : Bartan/Glutin. Et nous sommes entrés !

Dieu qu'il faisait noir, et quel spectacle ! Parkinson avait organisé une projection privée avec les diapos que je lui avais données.

Il y avait Strapoulos, très très gai, Glutin en personne et trois ou quatre autres pépères assis sagement sur le lit de Bartan, qu'ils avaient foutu dehors parce qu'il a peur dans le noir. C'était donc pour ça qu'on l'avait vu errer dans le couloir.

Les pépères étaient très absorbés par les photos cochonnes, au point de n'avoir pas remarqué le chambard qui régnait alentour.

Mais le plus drôle, c'est ce que faisait Glutin. Il était toujours en compagnie de la sœur qu'il avait réquisitionnée depuis le début de la soirée. La malheureuse avait le pourpre aux joues devant l'affligeant spectacle qui s'échappait de la visionneuse.

Glutin mettait à l'œuvre de façon on ne peut plus réaliste le dicton sur les mains, les zouaves, les nonnes et les culottes.

La sœur, qu'il avait réussi à apitoyer sur une crise aussi aiguë qu'imaginaire de prostate chronique, tenait délicatement son sexe colonial dans sa frêle main œcuménique. Et le dialogue laissait deviner la combine par Glutin imaginée...

— Secouez, ma sœur, secouez fort, je sens qu'il y a encore une goutte...

— Mais, monsieur, voilà bientôt un quart d'heure que je secoue, et la goutte ne vient pas !...

— Patience, patience, ma sœur, c'est parfois long, avec la prostate ! Vous saviez pas ça ?

Lepointre et moi, devant une telle mise en scène, n'avons pu nous empêcher d'éclater de rire. La tension nerveuse, plus la « goutte de Glutin », c'en était trop.

Notre rire n'a pas duré longtemps, car nous avons entendu un bruit de cavalcade dans le couloir, et des coups de feu provenant des deux extrémités du bâtiment. Puis le silence. Puis des cris.

La porte s'est soudain ouverte sur un infirmier accompagné d'un flic, la sulfateuse à la hanche.

— Tout le monde debout, et dehors, au rez-de-chaussée, vite, vite ! Allez...

Lepointre a empoigné Bartan, j'ai agrippé Strapoulos, et Parkinson a suivi comme il a pu. La sœur s'est chargée de guider les autres amateurs de cochonneries photographiques...

Dans le couloir, nous avons joué les étonnés. On nous a rassemblés dans l'ascenseur avec trois ou quatre autres malades et deux flics en armes nous ont escortés jusqu'en bas.

Certains roupillaient à poings fermés, secoués pour au moins quinze jours grâce au 12° distribué à flots par les soins de M. Hassouf. Mais les autres s'intéressaient de très près à ce qui se passait.

La musique s'était arrêtée. On avait parqué les vieux contre les murs, dans leur fauteuil ou leur chariot. Il y en avait beaucoup qui avaient entendu les coups de feu, et, telle une traînée de poudre, la nouvelle s'était répandue : la guerre recommençait !

Les mémés pleuraient qu'on allait venir leur prendre leurs fils pour les envoyer sur la ligne Maginot, comme la dernière fois. Il a fallu leur expliquer que, comme les fistons en question avaient largement dépassé la cinquantaine, le seul risque qu'ils couraient, c'était de se retrouver affectés à la défense passive.

Glutin était furieux de ne pas avoir pu terminer sa séance. Le pépé Lagoncière hurlait « Mort aux Boches », en montrant les flics. Il était persuadé d'avoir été fait prisonnier et jurait de s'évader pour aller rejoindre son régiment couvert de gloire.

Chez les infirmiers, on discutait ferme. Que se passait-il donc ? Les flics avaient dit qu'un « forcené » – dans ces cas-là, ils disent toujours forcené – était dans l'hôpital, armé, et qu'il fallait rester là jusqu'à ce qu'ils l'aient attrapé.

Personne ne savait au juste : sauf nous ; alors, pas de gaffe. Les vieux continuaient d'arriver, rabattus des étages par des escouades d'infirmiers courageux. Avec Lepointre, je me suis faufilé jusque devant la parafango. On ne pouvait aller au-delà, les argousins barraient le passage. Justement, un gros lard en costume/pardessus/rosette de la Légion (d'honneur) venait d'arriver et donnait des ordres dans tous les sens. C'était le chef. Il discutait à deux pas de nous avec un de ses subordonnés en civil, bien habillé lui aussi.

— Combien sont-ils, à votre avis ?

— Aucun moyen de le savoir, deux ? Quatre ? En tout cas, ils sont armés et ils tirent juste. Vous avez vu le responsable de l'ACSE ?

— Ah non... Tiens ! Filez me le chercher, cet oiseau-là...

Deux minutes plus tard, un grand type sec, la quarantaine bien tassée, propre sur lui, se présentait au commissaire. Poignée de main de politesse ; le commissaire étreignait la paluche du type avec le même entrain que s'il s'était agi d'un tube de concentré de choléra en poudre.

— Monsieur Floret. Je suis PDG de l'ACSE. On m'a réveillé en pleine nuit pour me faire part du drame et me voici. Un de mes employés a été tué par la bande, sans compter bien sûr celui qui gardait la chambre de ma cliente...

— M'en fous... ! On vient de m'apprendre qu'un de vos cow-boys m'a descendu un brigadier de la Police nationale, dans le couloir du troisième étage. Comment vous expliquez ça, vous ?

— Tragique méprise, monsieur le commissaire, oui, tragique méprise ! Ils se sont trouvés nez à nez, en débouchant chacun par un bout du couloir et mon vigile a tiré le premier... Avec tous ces gens déguisés...

— Mouais, faudra expliquer ça devant les tribunaux. On verra plus tard, ne bougez pas d'ici ! Bon ! Le directeur de cette maison de fous, où est-il allé se planquer, celui-là ?

Derrière le commissaire, M. Hassouf a toussoté, pour signaler sa présence. Il s'est présenté humblement au chef des flics.

— C'est vous le responsable de ce cirque ? Bon, vous aussi, vous devrez vous expliquer sur le coup de la chambre 9. C'est pas légal-légal, votre petit micmac ! Bon, voilà la situation : j'ai viré tous les cow-boys de l'ACSE. Mes hommes contrôlent la situation (il a déplié un plan de l'hosto), le ou les assassins sont au quatrième étage du bâtiment Nord. On va donner l'assaut à partir du troisième étage qu'on a déjà investi. Toutes les entrées de l'hôpital sont gardées, bouclées. Et solidement.

On va y aller prudemment parce qu'on a affaire à des professionnels, semble-t-il... Ils avaient même pensé à téléphoner au commissariat en inventant un carambolage bidon sur la nationale, pour détourner l'attention. Les deux ou trois collègues qui restaient dans le commissariat se sont précipités, mais on a perdu un temps précieux.

Et il a fait venir près de lui un costaud en treillis, porteur d'un fusil à lunette. Le costaud lui a tendu un mégaphone, le commissaire est sorti dans la cour, sous la pluie. Des projecteurs avaient été installés, balayant la façade des bâtiments d'un faisceau de lueur jaune.

Les gars de la télé régionale étaient à la fête. Venus pour un reportage débile, ils réalisaient le scoop de leur vie. Lepointre s'est approché de moi en souriant.

— Tu vois, Frédo, ça baigne dans l'huile. Si jamais on nous demande quoi que ce soit, retiens bien : on est sortis du bal. Toi, tu t'apprêtais à rentrer chez toi ; dans le couloir, on a rencontré Bartan qu'on a raccompagné jusqu'à sa chambre. C'est pas lui qui va nous contredire...

Le commissaire était dehors, seul au milieu de la cour, raide dans son pardessus. Nous l'avons regardé depuis les fenêtres de la parafango.

Les petits Papillons Bleus étaient tous à genoux en train de prier pour les pauvres pécheurs. Les sœurs du couvent ont entonné un cantique et Glaodec, avec sa soutane, s'est cru obligé de suivre.

Budat était au comble de l'excitation et faisait des signes et des gestes mystérieux pour éloigner le mauvais sort. Il dessinait de grandes figures dans l'espace, sous l'œil passionné du pépé Lagoncière.

Le commissaire a commencé à parler dans le mégaphone qu'il tenait à deux mains devant son visage. La voix nasillarde résonnait dans la cour.

— Commissaire Trottin qui vous parle. Je vous demande de vous rendre. Vous ne pourrez pas vous échapper, toutes les issues sont contrôlées. Il ne vous reste qu'à descendre par l'ascenseur ou les escaliers, sans armes, les bras en l'air.

La balle de Bantrek lui a arraché le mégaphone des mains. Avec le silencieux, il n'y avait même pas eu le bruit de la détonation pour avertir du danger. Le commissaire a couru pour se mettre à l'abri et réunir ses sbires.

Une minute plus tard, il reprenait le mégaphone, mais cette fois-ci il est resté derrière un camion.

— Deuxième sommation. Je vous donne encore une chance...

D'une fenêtre du quatrième, la voix de Bantrek a rempli la cour de l'hosto :

— Écoute, flic ! C'est toi qui vas m'obéir ! J'ai un otage. Amène une voiture, mets le contact et laisse-moi descendre, sinon, je supprime l'otage. Réfléchis vite. Je viendrai par l'ascenseur. Pas de salades, sinon...

Sa voix fléchissait, à force de hurler. J'ai regardé Lepointre qui n'en revenait pas, tout comme moi. Le commissaire croyait à un bluff de la part du « forcené ». Il a repris son mégaphone.

— Parfait, je ne savais pas combien vous étiez, maintenant si ! Montre-nous l'otage, par la fenêtre, et fais-lui dire quelque chose.

C'était étrange comme ils s'étaient mis à se tutoyer, tous les deux. Trottin voulait voir l'otage pour se rendre compte de sa « qualité ». Si ç'avait été une mémé octogénaire... Pas la peine de prendre des risques ! Mais le buste auguste de Mlle Soquet est apparu dans l'encadrement de la fenêtre, bien mis en valeur par les projecteurs.

Qu'est-ce qu'elle foutait là, celle-là ? Glaodec, se relevant de sa prière, a couru vers le commissaire pour lui dire qu'en effet Mlle Soquet avait quitté le bal pour aller coucher Mme Blandeux dont la chambre se trouve au quatrième étage. Eh bien, ça se corsait ! (Et pour Mlle Soquet, c'était corsé depuis longtemps.)

— Attention, monsieur l'agent, a-t-elle hurlé, il est très méchant, ça fait une demi-heure que je suis avec lui...

Trottin a fait venir M. Hassouf auprès de lui et lui a ordonné d'amener sa voiture personnelle. M. Hassouf en a profité pour signaler qu'il avait reconnu la voix, pas de doute, c'est bien celle du docteur Bantrek, chef de service au bâtiment Nord. Et maintenant, chef de sévices, au bâtiment Nord, toujours...

Un instant affaiblis par la peur de la fusillade et par la fatigue, les chants religieux ont repris. Les Papillons, les sœurs, Glaodec et une bonne partie des infirmiers psalmodiaient en chœur un des tubes de Radio-Vatican, *Je m'avancerai jusqu'à l'autel de Dieu, la joie de ma jeunesse*. Tony Celtic et ses Rythmes s'étaient joints aux fidèles avec leur accordéon et leur trompette ; la batterie, ce n'était pas assez solennel.

Gagné par la fièvre ravageuse de la foi, tout l'hosto s'est mis à chanter, chacun son refrain, chacun sa mélodie. On priait pour la vie de Mlle Soquet.

Les gens de la CGT, un peu ennuyés, ont entonné l'*Internationale*, en sourdine, en souvenir du brigadier tué par le vigile et du vigile liquidé par Bantrek. Des travailleurs comme les autres, même s'ils se trompaient de route...

La caméra de la télé balayait tout ce beau monde, de son œil indifférent. Enfoncé, le voyage du président à Ouagadougou, enfoncé le discours du secrétaire du CNPF à propos des malheurs du patronat, enfoncé le professeur Dugland, relatant la découverte d'un vaccin définitif anti-pieds plats, demain, la une des journaux télévisés, ce serait l'hosto à vieux, baignant jusqu'au cou dans la prière pour le salut d'une infirmière. Voilà qui ferait date dans les annales du journalisme ! Et c'était du direct.

Un des Auvergnats de la pointeuse a conduit la voiture de M. Hassouf bien au milieu de la cour, dans la lumière des projecteurs. Les flics ont reculé derrière les troènes, tandis que Trottin donnait des ordres à la radio. Même s'il réussissait à fuir l'hosto, Bantrek n'irait pas bien loin.

— Docteur Bantrek, hurlait le mégaphone, vous m'entendez ? C'est Trottin qui vous parle. La voiture est dans la cour ; vous pouvez venir sans crainte.

— Écoute bien, Trottin ! Si tu me prépares une entourloupe, je te jure que je descends l'otage, et tu seras responsable...

— Parole donnée !

Parole donnée, mais le type en treillis et à la carabine à longue-vue était parti se planquer dans la loge. Une ou deux minutes se sont écoulées, péniblement, la porte du couloir qui fait la liaison entre les deux bâtiments s'est ouverte, laissant sortir l'étrange couple Bantrek/Soquet.

Étrange mimétisme de la situation, Lepointre et moi, nous avons pu rester très près de Trottin et de M. Hassouf, grâce au costume de gendarme porté par mon copain.

Bantrek s'est avancé lentement dans la cour, tenant Mlle Soquet contre lui (le pauvre...), son pistolet appuyé contre la tempe de la surveillante.

— Commissaire, envoie quelqu'un mettre le moteur en route... Et fais ouvrir la portière...

Aussitôt dit, aussitôt fait. En voyant Bantrek s'avancer, M. Hassouf a sursauté, violemment.

— Commissaire, regardez... Il n'a pas la mallette.

Trottin a plissé les yeux, de derrière son camion. Effectivement, la remarque de M. Hassouf ne manquait pas de sel.

— Docteur Bantrek, a-t-il crié dans son engin, vous partez sans la mallette ? S'il n'y a que ça pour sauver la vie de l'otage, je vous autorise à retourner la chercher...

— Ta gueule, Trottin, pour la mallette, tu t'adresseras aux deux moines qui me l'ont piquée... Si tu les retrouves !

Eh oui, ça, c'est bien dit ! Bravo, Bantrek. S'il les retrouve. Bantrek a continué d'avancer vers la CX de M. Hassouf. Il serrait Mlle Soquet juste sous les seins ; je ne sais pas comment il pouvait résister à un truc pareil. La peur, sans doute. Quant à la pauvre surveillante, elle avait beaucoup de peine à mettre un pied devant l'autre ; Bantrek devait la soutenir pour qu'elle ne s'évanouisse pas.

Parvenu à la voiture, il a fait grimper l'otage dans l'habitacle, en la faisant monter par le siège du conducteur, pour mieux contrôler la situation. Mais il a suffi d'un tiers de seconde pendant lequel le canon de son arme a quitté sa cible, le visage affolé de Mlle Soquet, pour que le pote à Trottin, le type planqué dans la loge, lui envoie un pruneau dans la tête. Et paf ! Exit Bantrek ! *De profundis.*

Mlle Soquet, pour le coup, est partie dans les pommes. Trottin, chevaleresque, s'est précipité pour la faire sortir de la voiture. Comme il ne perdait pas la tête, il a donné des ordres pour qu'on renforce encore la surveillance à toutes les issues de l'hosto. Les flics sortaient des bosquets, des buissons, des souterrains, des trous de taupe, en manifestant leur joie devant le fait d'armes de leur collègue. Ils étaient tout un paquet devant le cadavre de Bantrek. M. Hassouf est allé vérifier s'il n'y avait pas de sang sur les coussins, mais non, Bantrek était mort proprement, sans éclabousser.

Dans le gymnase, Glaodec a hurlé « Ils l'ont eu » et a entonné *Je suis chrétien, voilà ma gloire, mon espérance et mon soutien*, que le chœur des nonnes, des vieux et des insectes bleus a repris à l'unisson.

La tension s'est brusquement relâchée ; on a allongé Mlle Soquet sur une civière et les internes de garde l'ont emportée à la salle des urgences.

Trottin a empoigné son mégaphone une nouvelle fois et nous a ordonné de rentrer dans le gymnase, de ne plus en sortir jusqu'à ce qu'on nous le dise. Il a remis en place des plantons devant l'entrée du couloir de rééducation. Des argousins en blouse grise se sont rués sur le cadavre de Bantrek, pour le prendre en photo sous tous les angles. Après quoi, ils ont foncé vers le bâtiment Nord faire le même boulot dans la chambre 9.

*
* *

Dans le gymnase, l'ambiance était chaude ; on ne s'entendait plus. Chacun commentait l'événement, tout le monde avait tout vu !

M. Hassouf à demi soulagé a fait servir une tournée générale. L'infatigable brigade des pipis-cacas ne savait plus où donner de la tête et du bassin.

Tony Celtic et ses Rythmes, à la demande du dirlo, ont chanté quelques chansonnettes, pour faire patienter les gens.

La plupart des infirmiers avaient laissé tomber leur déguisement. Le gymnase reniflait le mauvais vin, le confetti déprimé, le serpentin déçu, et surtout la fatigue. Les Auvergnats ont rappliqué avec des caisses de canettes de bière qu'ils avaient planquées jusqu'alors et qu'ils vendaient un franc pièce.

Glaodec s'est fait interviewer par la télé, toujours impeccable dans sa soutane. Le journaleux n'y a vu que du feu et l'appelait monseigneur ! Insidieusement, la fête reprenait, sans pudeur.

Et tout le monde y allait de son commentaire venimeux sur cette ordure de Bantrek que je l'avais toujours dit que c'était un salopard, d'abord, Bantrek c'est pas français, comme nom. Pendant ce temps, les hommes de Trottin recherchaient les deux moines.

À deux heures du matin, le commissaire a pénétré dans le gymnase et a annoncé que l'on pouvait recoucher les malades. Il a fallu s'organiser pour mettre en place la procession des chariots vers les étages.

Les sœurs et les Papillons, plus déchaînés que jamais, ont sorti des cierges de je ne sais où et le défilé s'est étiré en direction des chambres dans les accents grandioses d'un chant de Noël.

Quand les vioques furent couchés, bordés et certains attachés, Trottin a fait rassembler tous les gens de service cette nuit-là et les a fait accompagner dans leur service respectif par des escouades de flics.

J'ai serré la paluche de Lepointre et je me suis rangé dans la longue queue que formait le reste des convives devant la pointeuse, sous la pluie. Avant de traverser les grilles, on était fouillés par les lardus qui gardaient les entrées.

Au-dehors, les familles des travailleurs de la Santé attendaient, fiévreuses et inquiètes. Les journalistes mitraillaient la foule en larmes. Les sanglots en gros plan, ça fait toujours sérieux.

Je suis sorti parmi les derniers. Et qui guettait mon arrivée devant la boutique du marchand de cercueils ? Mais oui ! Jeanine et sa môman qui avaient entendu la relation de l'horrible nuit aux derniers flashes d'infos à la télé !

Oui, le petit Frédo était bien vivant, non, il n'avait pas vu les gangsters, et il était fatigué. Chez moi, chez nous, au beau milieu des ruines consécutives à notre dernière engueulade, Jeanine m'a troussé à la hussarde, pardon, à la Cosaque, en me disant qu'elle me pardonnait tout, et encore heureux que tu sois bien vivant, mon petit amour de pousse-chariot adoré. Elle tombe toujours à pic, ma Jeanine ?

7

Après m'avoir papouillé et encore papouillé, ma moitié, rassasiée, m'a confié aux bras de Morphée. Je ne l'avais pas volé. Avant de sombrer, deux idées m'ont tourmenté, à propos de la soirée.

Premièrement, et là je ne comprenais pas tout : pourquoi la camionnette de l'ACSE était-elle venue à l'hosto à une heure si tardive ?

Qu'est-ce qui avait bien pu les attirer à onze heures du soir, alors que le vigile qui devait passer la nuit dans la chambre 9 était déjà en place depuis vingt heures trente, comme tous les soirs ?

Deuxièmement, et je comprenais encore moins : le comportement de Bantrek. Puisqu'il n'avait plus la mallette, puisque nous étions les seuls à l'avoir vu en action, pourquoi n'avait-il pas abandonné son arme, pourquoi n'était-il pas redescendu dans les étages, mains dans les poches, en médecin pépère qui faisait une petite tournée ?

Dans mes rêves, cette nuit-là, il y eut une infernale saga de bénédictins sanguinaires, chevauchant des diplodocus aux pattes serties d'or massif, menant des charges de cavalerie à travers les services de l'hosto, sur une musique jouée par un orchestre dont le chef n'était autre que Glaodec, menant tambour battant un parterre de gendarmes sur les accords de *Parlez-moi d'amour*, vicieusement édulcorés afin qu'ils dérivent vers la mélodie pompeuse de la *Marche funèbre*. Ni plus ni moins.

Quand la sonnerie du réveil m'a arraché à ce cauchemar, j'ai bondi d'un coup dans mes godasses, délaissant les charmes tièdes de ma chère épouse qui se prélassait au fond des draps quelque peu déchirés çà et là par nos ébats de la veille au soir.

Le temps de verser du dentifrice dans la cafetière, de me frictionner vigoureusement avec le marc, de prendre une douche pour réparer les dégâts, j'enfilai ma parka encore accrochée au portemanteau, ce qui fait un drôle d'effet quand on essaie de sortir en courant.

Les doigts qui se coincent dans la porte, les jurons étouffés, les chaussettes que j'avais oublié de mettre, tant pis, je les glisse dans ma poche, la vie de pousse-chariot-truand, c'est pas de tout repos.

J'enfourchai d'une détente brusque mon destrier de chez Peugeot et me dirigeai, la poignée dans le coin, à l'effarante vitesse de 45 km/heure, vers l'hosto, vers Lepointre, vers les diamants, vers l'aventure !

*
* *

Dans ma précipitation, j'avais déjà accumulé une bonne demi-heure de retard. Arrivé devant l'œil rouge d'un feu du même nom, j'ai pu lire à la devanture d'un marchand de journaux les titres des quotidiens que le petit peuple de nos cités laborieuses s'offre avant d'aller glisser le carton dans la pointeuse. Retard pour retard, autant décider d'un arrêt journal-café.

Après avoir fait l'achat d'une palette représentative des différentes feuilles de chou, j'ai poussé la porte du café-tabac voisin et, aussitôt, j'ai pu humer les effluves typiques des matins de semaine dans les salles de bistrots banlieusards.

Âcre parfum de tabac froid, de vapeurs métalliques de percolateur, de bière rance et de tickets de PMU poussiéreux. J'ai délaissé le comptoir qu'un bras tatoué de bleu s'échinait à astiquer et je suis allé m'affaler sur le Skaï rouge vif d'une banquette du fond de la salle.

Le café que m'a servi le loufiat n'était pas aussi corsé que la littérature qui s'étalait devant mes yeux. Festival de manchettes énormes, carnaval de caractères gras. Pour quelques heures, la « nuit tragique de la Saint-Romanic » prenait des allures de catastrophe nationale.

« Où sont passés les bijoux ? Qui sont les deux mystérieux

moines dont l'assassin a parlé avant de mourir ? » Voilà les deux questions qui revenaient, tel un leitmotiv, sous la plume fouineuse des journalistes.

Tous les canards relataient l'affaire en première page, avec photos à l'appui. Mlle Soquet était devenue « l'héroïque petite surveillante ». Sur plusieurs journaux, le même cliché : Bantrek sortant dans la cour, le canon de son revolver appuyé sur la tempe de « la femme en blouse blanche au sang-froid remarquable ».

Mais le canard qui avait centré toute son édition du jour sur la nuit de l'hosto était sans conteste *Les Potins de l'Essonne*, petite feuille de cinquième zone qui survit d'ordinaire en traitant de façon exhaustive tous les racontars de loge de concierge du département. Plus de la pub couleur pour les hypermammouths, pas de rubrique diplomatique, ou alors les ragots des larbins d'ambassade sur la vie nocturne de leurs patrons. Glaodec leur envoie un article « médical » de temps à autre.

Et, le soir de la Saint-Romanic, le reporter de cet étron typographique traînait dans l'hosto, chargé de faire un papier sur la fête. Le lascar, pris en plein dans le cirque, n'a pas perdu sa soirée ; rien ne lui a échappé !

Il y avait un seul article, qui résumait la situation, et tout plein de photos : les danseurs, le cadavre du vigile, la tête écrabouillée de Mme d'Artilan, le cadavre du flic que les rigolos de l'ACSE avaient rectifié, les Papillons Bleus priant à genoux, Glaodec au premier rang, etc.

Mais surtout, surtout, nos costumes de moines, le pain de plastic, le Luger... Le tout étalé sur une table, avec le commissaire Trottin qui trônait devant ces pièces à conviction.

Dans son article, le plumitif des *Potins* retraçait pas à pas le déroulement de la folle soirée ; j'ai eu tout de suite la réponse à mes deux questions :

... Et c'est alors que l'assassin d'origine étrangère, dénommé Bantrek Ladislas, médecin-chef du service où était hospitalisée Mme d'Artilan, dans sa fuite, rencontre sur son chemin les vigiles de l'ACSE. Surpris par leur présence inattendue, l'assassin cède à la panique et ouvre le feu...

... M Floret, P-DG de l'ACSE, nous déclare :

« C'est en fait un miracle que Bantrek ait trouvé sur le chemin de sa fuite l'escouade de vigiles qui revenaient d'une tournée de

surveillance à la résidence des Lilas Blancs, voisine de quelques centaines de mètres. De plus, M. Hassouf, dévoué directeur de l'hôpital, les avait gentiment conviés à venir se détendre quelques instants à la fête organisée par l'entraide des Papillons Bleus. L'un d'eux devait relayer leur camarade en faction dans la chambre 9 et ainsi lui permettre de participer aux réjouissances. Dès qu'ils ont entendu les sirènes d'alarme, ils sont descendus de leur camionnette, l'arme au poing, prêts à faire face... »

Quand j'ai lu ça, j'ai senti les sueurs froides envahir ma peau, ma pauvre petite peau que cet abruti de Bantrek avait involontairement sauvée.

Pas de doute : si j'étais descendu avec la Mallette, pour regagner la 204, je me serais retrouvé nez à nez avec ces barbares qui m'auraient tiré dessus sans hésiter !

Finalement, merci Bantrek ! On était peut-être un peu locdus, Lepointre et moi, avec notre magot planqué dans la gueule du loup, mais on était encore vivants. Et bien vivants.

Tout ça ne m'éclairait cependant pas sur le pourquoi de l'attitude de Bantrek. J'ai dégotté la solution du rébus à la page 6, en dessous de la photo du médecin, allongé sur le bitume, la face éclatée, la cervelle dégoulinant de l'os fracassé, comme un gros yaourt à la fraise tombé sur le carrelage.

Bantrek, son butin à la main (un butin qui, aux dires de la Cie Générale de Prévoyance où était assurée la victime, s'élève à plus de 300 millions de nos anciens francs), a réalisé qu'il ne pouvait plus fuir. Pourquoi n'avoir pas tout abandonné ? C'est Mlle Soquet, la malheureuse surveillante que l'odieux personnage a prise en otage, qui nous a éclairés à ce sujet :

« ... J'étais montée au quatrième étage recoucher une de mes malades, Mme Blandeux, particulièrement fatiguée après le bal. Je m'apprêtais à redescendre par les escaliers, au fond du couloir, lorsque j'ai entendu des coups de feu provenant du rez-de-chaussée. Pétrifiée par la peur, j'ai assisté à la lutte entre l'assassin et les vigiles...

... Peu après, j'ai saisi les bribes d'une conversation entre M. Bantrek, dont j'ai aussitôt reconnu la voix, et la bande rivale, celle des moines, à ce qu'on dit. Les moines, d'après ce que j'ai pu entendre, ont pris la mallette. Lorsque M. Bantrek a remonté les escaliers, je me suis retrouvée face à lui, ainsi que de nom-

breux malades du service, réveillés par l'écho de la fusillade : il n'avait plus son masque sur le visage, nous l'avons tous reconnu, et il tenait son pistolet à la main...

Je n'ose dire, heu... il m'a traitée de, de... Salope, oui, salope ! et il m'a prise en otage, comprenant qu'il était découvert. »

Sacrée Mlle Soquet ! Toujours à se fourrer dans des endroits impossibles. Elle affirmait plus loin qu'elle n'avait pas reconnu la voix du « moine » qui avait conversé avec Bantrek. Non, vraiment, elle ne se souvenait pas d'avoir entendu cette voix-là. Le journaleux continuait son reportage :

Quoi qu'il en soit, les enquêteurs sont persuadés que les bijoux de Mme d'Artilan sont encore dans l'hôpital, dissimulés, et c'est dans ce sens que s'orientent les recherches. Aussi bien les hommes du commissaire Trottin, qui ont barré la grande entrée de l'hôpital, que les employés de M. Floret sont formels : personne n'est sorti de l'hôpital dès l'instant où les sirènes d'alarme ont fonctionné, sans être dûment fouillé...

Il y avait un petit encart sur l'éclat de balle que les flics avaient retrouvé dans le plafond du couloir : ils se demandaient comment le vigile mort dans la chambre 9 avait pu tirer aussi loin... Sacré Lepointre ! En remettant le revolver dans la chambre 9, il avait semé une belle panique chez les experts en balistique.

Un petit malin, le journaliste ! Petit malin aussi, le dénommé Trottin... En bref, on n'en était même pas à la moitié du parcours : les diamants étaient à nous, sans qu'on puisse y toucher et, si on tardait trop, Trottin remettrait la main dessus.

J'ai plié tous mes journaux, j'ai fini mon café et je suis parti dans les w.-c. enfiler mes chaussettes qui étaient toujours dans ma poche. Avec le froid qu'il faisait, ce n'était pas le moment idéal pour tomber malade. Ensuite, j'ai casqué la consommation sans laisser un kopeck de pourboire.

*
* *

J'ai roulé pépère jusqu'à l'hosto où je suis arrivé avec une heure et demie de retard, soit à neuf heures. En garant ma mobylette devant la boutique du marchand de cercueils, j'ai immédiatement saisi ma douleur, notre douleur. Lepointre et moi, on allait avoir un sacré boulot pour sortir les diam's : tous les dix mètres, un flic ! Un bon flic en uniforme bleu, avec képi du même métal. Bien au garde-à-vous sous la neige.

Et il y avait deux civils à la pointeuse, en plus des Auvergnats. Qui vous fouillaient, un talkie-walkie dans la main. L'appareil grésillait ferme et, tandis qu'un des deux lardus palpait mes flancs pour voir si je n'avais pas caché un tank en pièces détachées dans les poches de ma parka, j'ai ouï des bribes de consignes et d'ordres qu'échangeaient les argousins.

Il était question de « position », d'« escadron », plein de termes techniques dont est riche et prolixe l'ardu langage, l'obtus jargon de la police.

Et tout ça faisait ricaner les Auvergnats. Pendant la fouille, j'ai vu que la cour de l'hosto était pleine de voitures banalisées, tellement bien banalisées qu'on les reconnaît tout de suite.

La petite rousse du bâtiment Sud est arrivée juste derrière moi. Une dame très digne est venue jusqu'à la loge, une femme flic, pour la fouiller, elle aussi. Décidément, ils ne laissaient rien au hasard.

À la rééducation, c'était plutôt calme. Les menuisiers démontaient l'estrade. Il fallait balayer par terre. Glaodec ne m'a pas engueulé pour mon retard ; tout le monde avait fait le même coup.

Rangeant les chaises, nettoyant les dégâts que la brigade des pipis-cacas n'avait pu éviter, les travailleurs de la Santé discutaient ferme.

Alors comme ça, il y avait eu des diamants, une vraie fortune dans l'hosto ? Alors comme ça, le docteur Bantrek était un voleur ? Ah ben, voyez-vous, tous ces mystères, toutes ces cachotteries, quand même on est bien peu de chose... Tout le monde était fier et content d'avoir vécu un beau western, comme à la télé. On en reparlerait longtemps !

Vers dix heures, on a entendu des cris, des vivats, des bravos, des hourras, dans le couloir de la parafango. Mlle Soquet faisait son entrée dans le service, accompagnée par M. Hassouf.

Elle était un peu pâlotte, après sa grande trouille de la veille, mais, si elle voulait savourer la gloire durement acquise, elle se devait de faire au moins une apparition le jour même. Ne serait-ce qu'un aller et retour dans le gymnase !

Elle sortait du bureau de Trottin, installé dans les locaux de la direction. Sa photo dans les journaux, son interview à la télé, ça lui avait tourné la tête. Elle avait mis sa plus belle robe, qui était une robe d'été, mais tant pis.

Glaodec a brandi un transistor et toute la rééducation a écouté le bulletin d'informations de dix heures et demie, qui retraçait la soirée, avec des commentaires finauds. Émerveillés, les larmes aux yeux, les larbins en blouse blanche ont écouté la voix de leur Maître, de Mlle Soquet, de monseigneur Glaodec, dans le poste. Grandiose instant de connerie fraternelle.

Le directeur de l'Assistance publique a annoncé que Mlle Soquet serait décorée pour la bravoure dont elle avait fait preuve. Taratata !

Quand le gymnase fut à nouveau présentable, les vieux commencèrent à affluer devant les cages à poulies pour leur séance quotidienne de massage et de carnage. On entendit craquer, geindre, jouer le délicat concerto des hanches bloquées, des vertèbres disloquées, des genoux coincés, des muscles froissés, des nerfs meurtris.

Lepointre est arrivé, en guidant Bartan jusqu'à la salle d'ergothérapie : il allait entamer une de ses séances de coussin, comme tous les jours.

La laine ne fait pas partie de l'arsenal médical, en général, mais pour Bartan c'est tout ce qu'on a trouvé, c'est l'instrument thérapeutique n° 1. Il marche tout droit. Il n'a rien de cassé, rien de trop usé, rien de décati. Coûte pas cher en scanner, le père Bartan, pas cher en radio, pas cher en médicaments. Une aspirine de temps à autre, quand sa tête vide se réveille et lui mijote une migraine surprise. Jusqu'à la triste fin de sa foutue vie, il restera à l'hosto.

Là où l'hosto défaille, c'est dans la destruction de ses productions, à Bartan : cette vieille chèvre de Mlle Soquet qui démaille patiemment ses coussins tous les soirs... C'est du gâchis, ça ! Du temps, perdu.

Imaginez un peu, tous les secoués, tous les tarés, tous les mabouls, tous les à-côté-de-leurs-pompes, attablés devant les postes de montage d'une immense chaîne. Par exemple, on pourrait leur faire brosser et brosser et encore brosser les déchets nucléaires, les envoyer cueillir des fleurs à Mururoa juste après les explosions, histoire de voir. Pas si bête, hein ? L'ergothérapeute m'a dit une fois qu'il y a des gens qui y ont déjà pensé.

Toute une cohorte de mongoliens, encapuchonnés dans de belles combinaisons blanches, farfouillant à pleines mains dans les capsules irradiées ? Mmh ? Voyez pas ça venir, vous ?

*
* *

Lepointre semblait soucieux. En outre, il était visiblement crevé par la cavalcade d'hier au soir. L'âge, quand même... Il m'a dressé un sombre portrait de la situation.

Dans tous les étages, à tous les coins de corridor, des flics fouinaient, à la recherche de la mallette. Ils épiaient les moindres gestes du personnel, guettant l'anormal, l'inhabituel, le dérisoire petit fait qui les mettrait sur la piste des diam's.

À la pause de midi, je suis sorti et je suis allé déguster un hot-dog caoutchouc chez Bébert, le bistrot en face de la loge. Lepointre m'y a rejoint.

— Alors, Lepointre, on laisse tomber ? On réussira jamais à les sortir de la souricière, nos bijoux. T'as vu le dispositif ? Encore heureux si Trottin ne nous chope pas, en tant que moines...

— Ben quoi, ben quoi, ça s'est pas trop mal passé, pour le moment. Trottin retrouvera pas notre trace, pas avec les robes de moines, en tout cas. Max n'a rien vu quand on les a piquées. Et puis tu m'énerves, à toujours râler ! On n'a rien sans rien, mon vieux. Faut étudier les solutions, méthodiquement, toujours méthodiquement. Même s'ils fouillent tout, il doit bien y avoir une faille. Des flics infaillibles, on n'a jamais vu ça...

— Infaillibles, non, mais t'as vu comment ils ont descendu Bantrek ? Je tiens pas à le suivre, moi...

— Frédo, je vais finir par croire que je t'ai surestimé ! T'es pas de taille à faire un vrai truand. La trouille, Frédo, ça fait partie du métier. Toujours. Maintenant, si tu préfères continuer à pousser les vieux dans les étages, sur les chariots, libre à toi ! Je m'occuperai de la mallette, seul. Et je t'enverrai un petit dédommagement pour ta participation au coup. Tu me dis si ça te va, et on arrête là... La dernière chose que je te demande, c'est d'aller récupérer ta 204, dans la rue derrière l'hosto. Si jamais Trottin décide une petite investigation dans ce coin-là, t'auras l'air fin, avec ta bagnole. Surtout que Bantrek devait lui aussi avoir une tire qui l'attendait dans les parages...

Et voilà, je venais encore de me dégonfler. J'ai cavalé dans la petite rue où j'avais garé la 204 et je l'ai sortie de là. J'ai roulé jusqu'à Juvisy et je suis revenu à l'hosto en taxi.

Ce qui m'a donné le temps de réfléchir. Oui, bon, les risques, la prison, brrrr, je ne me sens pas fait pour ça. Lepointre n'a rien à perdre, lui. S'il ne réussit pas, il sera comme les autres pensionnaires de l'hosto, d'ici quelques années, avec sa retraite minable.

Et moi, d'ici quelques années, je serai à l'échelon 4 ; comme Budat. Aide-soignant échelon 4. Peut-être, si je me remue, infirmier échelon 1, avec le concours annuel de promotion interne de l'Assistance. Ou permanent CGT puisque ma Jeanine est revenue !

En marchant vers l'autre bout de la cour, j'ai aperçu mon pote Budat, justement. Budat, mon double, Budat-poussechariots, Budat-vingt-ans-d'hosto... Vingt ans, merde, vingt ans !

Quand je l'ai vu se baisser pour ajuster ses pinces à vélo, avant de partir manger sa tranche de jambon chez lui, j'ai pensé à ses douleurs, à Budat, à sa sciatique, vingt ans à soulever les vieux, c'est la sciatique garantie. J'ai pensé à ses économies placées au Crédit Agricole, dans son bled, là-bas en Lozère, cinq cents francs par mois ponctionnés sur sa paye depuis vingt ans, oui vingt ans pour s'acheter une petite bicoque avec un bout de jardin autour. Je l'ai vu, imaginé, vingt ans plus tôt, débarquant de sa Lozère, après l'armée, Budat qui a enfilé la blouse blanche.

Il savait qu'il en aurait pour vingt ans, pour trente ans, à ce moment-là ? Il savait que ce serait ça, sa vie à lui, Budat Émile, pousser des chariots, la balade dans la forêt de Sénart le dimanche après-midi et les vacances en Lozère, chez sa sœur, vingt-sept jours ouvrables par an, il le savait, ça, Budat Émile ?

Bon, je vais pas vous en faire une tartine, de la condition prolétarienne, comme dirait Jeanine. La condition, ce jour-là, je l'ai prise en pleine gueule et elle avait la tête des pinces à vélo de Budat mon copain. C'est ça qui m'a fait devenir gangster, irrémédiablement.

Dans la loge de la pointeuse, j'ai pu constater que les flics avaient apporté la grosse artillerie, le grand cinoche. Ils avaient installé des cabines avec des appareils de radiographie, comme dans les aéroports. Les passagers passent à l'intérieur avec leurs bagages et l'appareil détecte s'ils transportent quelque chose d'anormal. Les plantons avaient également des petites boîtes portatives qu'ils vous passent sur le corps, très lentement. Je suppose que si la boîte renifle du louche, du vilain, du caché, elle se met à piailler sans plus attendre.

J'ai couru à l'ergothérapie, où Lepointre terminait un de ses splendides chapeaux de paille. Je devais le lui dire. Et je le lui ai dit.

Voilà, c'était décidé, je marchais avec lui, à fond ! Il n'avait qu'à me dire ce que je devais faire ; tant pis pour les flics, tant pis pour la prison, tant pis pour le bagne, tant pis si Frédo quitte la blouse blanche pour un costume rayé, tant pis si Frédo quitte les chariots pour la pioche à casser les cailloux à Cayenne, tant pis, c'est ça la vie, on n'en a qu'une et, tant qu'à faire, autant ne pas louper son coup, la pioche et les cailloux, c'est rien, mais rien, à côté des pinces à vélo. Merci, Budat !

*
* *

J'avais à peine fini de mettre Lepointre au courant de mes nouvelles résolutions malhonnêtes qu'un flic s'amène dans la salle d'ergothérapie et me prie de le suivre jusqu'aux bureaux de la direction, où le chef avait installé son quartier général.

J'étais vaguement inquiet. Qu'est-ce qu'on pouvait bien me vouloir ? Et si j'étais découvert ? Je me suis vite rassuré en pénétrant dans le petit salon qui jouxte le bureau de M. Hassouf, car d'autres employés attendaient pour venir déposer leur témoignage. Ce n'était donc qu'une convocation de routine.

Carisse, le kiné velu, et Glaodec étaient là. Glaodec lisait son *Hérisson* et Carisse faisait jouer les muscles de ses avant-bras, les yeux vides, perdus dans un rêve trouble de montagnes de biceps, de vallées de triceps charnus, durs comme de la pierre, d'arbres à viande rouge...

Ses beaux muscles dressés à soulever des haltères et la contemplation hargneuse du cul des infirmières, c'est le miel de ses pensées, à Carisse ! Je suis sûr que, si on étudiait ses électro-encéphalogrammes, on pourrait mettre en évidence l'existence irréfutable de la fameuse « onde C », au tracé désynchronisé, d'amplitude moyenne à basse, mélangé de fréquences rapides, le tracé typique et incomparable de l'onde de la connerie. Glaodec, lui, ferait péter les électrodes ; enfin, passons !

Mon tour est venu de pénétrer dans le sanctuaire. Trottin était affalé derrière le bureau, la clope au bec. Un homme en képi tapait des déclarations à la machine, laborieusement, en épelant chaque mot. Trottin tenait une série de feuillets dactylographiés à la main.

— Asseyez-vous. Je vous ai fait venir pour que vous nous donniez votre témoignage sur ce que vous avez vu hier soir. Vous êtes aide-soignant, vous travaillez à la rééducation, vous n'êtes pas très bien noté par vos supérieurs... Vous souvenez-vous, à n'importe quel moment de la soirée, d'avoir aperçu deux individus déguisés en moines ?

— Vous savez, Monsieur le Commissaire (je mettais des majuscules en parlant), il y avait tant de monde... Non, je ne me souviens pas d'avoir vu des moines.

— Dites-moi, suivant le témoignage de M. Chautemps, vous avez aidé...

— M. Chautemps ?

— Oui, le vigile qui gardait l'entrée de la chambre de Mme d'Artilan dans la journée. Ne m'interrompez pas, je vous prie... Suivant, disais-je, le témoignage de M. Chautemps, vous avez aidé, il y a quelque temps de cela, M. Glaodec, votre chef, à effectuer une radio sur la personne de la victime. Et, d'après M. Chautemps, vous avez assisté ainsi à une « crise » de Mme d'Artilan, à propos de ses bijoux. Cela ne vous a pas intrigué ?

— Ben, vous savez, tout le monde l'était, intrigué, par la simple présence de l'ACSE ! Mais, à part ça, j'ai pensé qu'elle était folle. Et puis, hein, moi je suis là pour travailler, pas pour me poser des questions.

— Bien, bien, libre à vous ! Mais moi, voyez-vous, mon travail consiste précisément à en poser, des questions... Et, je vois là, sur votre fiche, que vous avez eu quelques petits ennuis avec la justice, il y a quelques années ? Mmh ? Vol de disques dans les supermarchés ? C'est pas beau, ça...

— Eh ben, c'étaient des erreurs de jeunesse, quoi, j'ai arrêté, je suis devenu un travailleur honnête, non ?

— Oui, bien sûr, je n'ai pas dit que vous étiez l'ennemi public n° 1 ! Mais enfin, comme nous n'avons aucune piste, que vous avez assisté à une crise de la victime, et que vous avez eu dans le passé quelques démêlés avec nos services, tâchez de vous tenir à carreau, n'est-ce pas ?

J'ai hésité un instant : que faire ? Pousser une grande gueulante en menaçant de me plaindre à la CGT et tout ou jouer les imbéciles et dire oui, monsieur, merci, monsieur ?

J'ai opté pour la seconde solution, j'ai signé la déclaration que m'a tendue l'homme au képi, et je suis sorti du bureau sans montrer ma colère. Budat attendait son tour dans le petit salon et il est entré sitôt mon départ, après m'avoir adressé un clin d'œil.

De l'avis de Lepointre, je n'avais rien à craindre, au contraire. Si les flics s'énervaient comme ça, c'est qu'ils étaient en pleine panade, et de toute façon, les flics, ça s'énerve toujours ! S'ils m'avaient eu dans le collimateur, ils ne m'auraient pas prévenu de la sorte. Malgré tout, il fallait rester extrêmement prudent.

Dans l'hosto, les flics continuaient de fouiller tout ce qui passait à portée, par surprise. Ils étaient bien persuadés que les deux moines étaient des gens de l'hosto et que la mallette était toujours dans les lieux, planquée quelque part.

Fouiller un hôpital, c'est une tâche de titan. Les entrées, ils les contrôlaient bien, mais comment empêcher les astuces, les coups bas ? Eh bien si ! Tout ce qui entrait et sortait de l'hosto était méthodiquement trituré, soupesé, encadré, épié.

Les voitures qui entraient, les ambulances, les livraisons étaient gardées le temps de leur séjour dans la cour par un ou deux plantons. C'était impossible de charger quoi que ce soit à l'intérieur sans passer par la fouille, encore une fois.

Les médicaments, la bouffe, ils sondaient tout. Là où ils ont eu le plus de mal, c'est pour les ordures ! Eh oui, les détritus, c'est très coton à contrôler. Le camion qui passe les chercher tous les matins pouvait très bien servir de véhicule à diamants. Mais Trottin a trouvé le moyen de pallier cette difficulté.

Il a engagé des extra par l'intermédiaire de M. Hassouf. Les ordures, à l'hosto, c'est assuré par une compagnie privée. Des immigrés gabonais en combinaison verte font le tour des vide-ordures avec des carrioles et versent le contenu de ces carrioles dans des conteneurs que la benne vient vider tous les matins. Alors M. Hassouf a fait venir plus de Gabonais, par l'intermédiaire de la compagnie qui n'a pas dit non.

Derrière chaque éboueur, ils ont collé un inspecteur, avec un masque sur le nez, à cause de l'odeur. Et les immigrés devaient touiller consciencieusement leurs chargements de saloperies sous l'œil vigilant de l'inspecteur avant de le verser dans le conteneur. Et les conteneurs, eux aussi, étaient gardés par un planton. Quel boulot ! À la cantine, ce fut épique. Mais les flics n'ont pas reculé et ont touillé les marmites de nouilles à la recherche des bijoux.

Quant à l'ACSE, on ne les a plus revus. Trottin a dû les virer. Non seulement ils n'avaient pas été capables d'empêcher le hold-up, mais encore ils avaient tué un brigadier. Le commissaire a estimé que ça suffisait comme ça ; les publicités de l'ACSE ont disparu des canards locaux.

Tout cet après-midi-là, j'ai traîné dans le gymnase à donner des coups de balai rageurs et à réparer mes chariots. Lepointre attaquait un autre chapeau de paille.

Le soir, à la maison, j'ai aidé Jeanine à réinstaller ses bouquins sur les étagères. Quand j'ai eu fini de ranger les vingt volumes de l'*Encyclopedia Marxista* sur celle du haut, j'avais les bras en compote.

Jeanine, en agrafant les feuilles de l'*Écho des Luttes*, qu'elle devait distribuer le lendemain, m'a parlé de son boulot, d'une famille qu'elle avait visitée le matin, leurs conditions de vie, c'était un vrai scandale. Devant mes yeux dansaient les pinces à vélo de Budat.

Je n'ai quasiment pas dormi, tant je me concentrais sur les possibilités, sur *LA* combine qui nous permettrait de faire sortir notre magot de la grande bâtisse bleue sans nous faire trucider par les copains de Trottin.

Foncer dans le tas en ouvrant le chemin à coups de tromblon, la mallette à la main ? Pour avoir de la gueule, ça aurait de la gueule... On en parlerait longtemps, dans les bagnes !

Demander à Budat de faire le tour de magie de sa vie, lui faire transformer la mallette en plat de lentilles et passer avec l'assiette devant le nez des lardus ? Pas crédible du tout.

Creuser un tunnel ? Non, ça prendrait trop de temps. Avaler les diamants un à un ? Et la cabine de radiographie de la loge, alors ?

Et puis nous n'en étions même pas là, même pas au stade de la sortie des diamants. Il fallait tout d'abord récupérer la mallette dans la piaule du pépé Lagoncière...

*

* *

7 h 30 – N° 712. Le lendemain matin, pour une fois, la pointeuse n'avait rien à redire, j'étais pile à l'heure. Les flics étaient toujours là, évidemment. J'avais rêvé dans la nuit que Budat les aurait fait disparaître, mais non, il n'est pas encore assez calé pour réussir des prodiges pareils.

J'ai poussé mes chariots avec entrain. À dix heures, j'ai aidé Glutin à écrire une carte à la sœur qui lui avait tenu compagnie le soir de la Saint-Romanic, et, tout de suite après, Mlle Soquet m'a donné un bon-pour concernant le pépé Lagoncière, justement.

Il avait droit, je ne sais plus pourquoi, à trois séances par semaine d'hydrothérapie. Picasseau, le médecin, pensait peut-être que de le plonger dans une baignoire à remous ça lui ferait repousser ses jambes. La médecine a fait beaucoup de progrès, ces derniers temps, il ne faut pas se moquer.

J'ai donc pris mon plus beau chariot, un bien moelleux, avec des pneus tout neufs qui ne crissent pas sur le lino, et je suis monté au troisième étage du bâtiment Nord.

Un flic qui prenait l'ascenseur a palpé le rembourrage de Skaï du dossier, des fois que... Cette petite balade m'a considérablement ému. Ainsi va la vie, j'allais pénétrer dans la chambre où était dissimulée ma fortune, tranquillement, au nez et à la barbe des flics.

Oui, mais ça ne servait à rien, parce que j'allais l'y laisser, sans même la voir, et le pépé Lagoncière n'est pas ce qu'on appelle un trésor !

Il a commencé par me traiter de sale boche, comme d'habitude. Mais je n'ai rien voulu savoir, et je l'ai hissé sans prévenir sur le chariot. Quand il a vu les roues, il s'est cru muté dans les blindés.

Je n'avais même pas levé les yeux vers le plafond, vers la plaque de fibrociment qui cachait la mallette. Au passage, j'ai pu constater que M. Hassouf avait fait installer une autre petite vieille dans la chambre 9, mais elle n'était gardée par aucun vigile.

De retour à la rééducation, j'ai fait glisser le pépé Lagoncière dans la baignoire à remous et je l'ai laissé entre les mains expertes de Glaodec. Lepointre est venu me voir pour me donner rendez-vous à quinze heures quarante-cinq chez Bébert, le bistrot d'en face. On retournait voir Armand, pour lui demander son avis sur le problème qui nous occupait.

8

De chez Bébert, nous avons pris le bus jusqu'à Juvisy, comme la première fois.

Nous sommes allés à Paris avec la 204 que j'avais louée ; ce qui permettait de faire d'une pierre deux coups, arriver plus vite chez Armand et clore la location devenue inutile.

Il faisait un petit froid très sec au Jardin des plantes, mais il en faut beaucoup plus pour chasser les joueurs d'échecs...

— J'étais persuadé de vous voir rappliquer bientôt ! a murmuré Armand en nous apercevant.

Lepointre l'a rapidement mis au courant de la situation, complétant ainsi les informations parcellaires que l'Archiviste avait pu glaner dans la presse.

Parcellaires, parce que les flics n'étaient pas très fiers de n'avoir récupéré que du vent en guise de diamants. Il y avait sans doute eu un coup de fil d'« En Haut » pour conseiller aux journaleux d'arrêter de faire les mariolles avec l'histoire de la Saint-Romanic. Après, quand les coupables seraient coffrés, sonnerait derechef l'heure des compliments et des louanges.

Dans l'appartement d'Armand, nous avons dressé le bilan et tenté d'esquisser des perspectives, calmement, mais même avec du sang-froid ça n'était pas couru d'avance.

— À mon avis, a dit Armand, l'urgent, c'est de liquider la mallette. Je m'explique : votre planque ne me semble pas trop mauvaise, mais tôt ou tard Trottin va faire sonder les plafonds. Ou bien un flic qui passera par hasard dans la chambre fera réagir son détecteur portatif et ça sera cuit ! D'autre part, vu la situation, il faut bazarder les bijoux. C'est plus facile de planquer les diamants sans la mallette en attendant de trouver le moyen de les faire sortir, et c'est encore plus aisé de ne garder que les pierres. Il faut les arracher de leur monture, défaire le collier, dessertir les rubis. Plus ce sera petit, plus ce sera simple !

— Ouais, Armand... Mais, ça aussi, c'est sacrément dur... N'oublie pas que la valise est fermée, bouclée par une serrure à chiffres. Pour enlever le contenu, on doit l'ouvrir, on ne peut pas se trimbaler avec dans les couloirs ; il faut donc faire ça dans la piaule de Lagoncière.

— Écoute, Lepointre, y a pas trente-six solutions, y en a même pas deux ! Le risque est gros, mais si vous voulez votre magot, il faut le courir. Bon. Frédo n'y connaît rien en serrures et il se ferait piquer avant de voir la couleur des bijoux. Tu te vexes pas, hein, Frédo ? Toi, Lepointre, tu saurais bien ouvrir la mallette, mais voilà tu n'as rien à faire chez le pépé Lagoncière ! Réfléchis un peu : si on te voit entrer dans la chambre, y rester, mettons vingt minutes... Lagoncière te connaît, il a beau être gaga, il pourrait sans peine t'identifier par la suite, non ? La mallette, qu'est-ce que tu en ferais ? Tu y prendrais les bijoux, bon, et tu la remettrais à sa place, dans le plafond, non ? Tu la balancerais pas par la fenêtre, en plein milieu de la cour, sur la bagnole de Trottin, hein ? Donc, quand les flics retrouveront la valise dans le plafond, ils rechercheront tous les gens qui sont entrés chez Lagoncière, et là tu te ferais piquer !

— Oui, mais de toute façon on y est déjà allés, dans la piaule, pour prendre des photos...

— C'est juste, mais ça fait longtemps, plus de trois semaines, le vieux ne vous reconnaîtrait plus.

— T'es bien gentil, Armand, mais il y a trois cents briques qui dorment dans ce plafond et, risque ou pas risque, j'irai les prendre, coûte que coûte ! De toute façon, on peut pas faire autrement...

— Eh si, on peut faire autrement...

— Et comment ça ?

— L'autre solution, c'est moi ! Je suis inconnu dans l'hôpital, je n'y remettrai jamais les pieds, je sais bricoler une serrure ; je vous repasse les pierres que vous collez dans un endroit tranquille et je me tire ! Trottin peut me faire fouiller dix fois, si ça lui plaît.

J'en étais bouche bée, de cette proposition inattendue. Lepointre s'est ressaisi le premier.

— De quel droit tu irais visiter le pépé ?

Armand a éclaté de rire, d'un beau rire léger et sonore.

— Oh... Lepointre. Tu me déçois. Tu ne sais donc pas que je suis son neveu, à Lagoncière ? Je peux bien rendre visite à mon pauvre oncle malade, non ?

— Tu ferais ça ? Fantastique ! Trois cents briques, disons qu'on en perd cent quand Drizdeskovitz aura retaillé les pierres, plus les faux frais, bon, on évalue à deux cents, à trois, ça fait pas un compte rond, mais on se débrouillera...

— Oui, je suis large, et pas trop dans le besoin. Disons qu'avec une petite commission pour le principe je marche. Il faut vous laisser de quoi voir venir, le temps de dégotter une autre arnaque.

— Alors, tu rempiles ?

— Pour un jour, un seul, je rempile...

Évidemment, on a fêté cette aubaine après avoir réglé les détails pratiques de la visite d'Armand au pépé. On ne peut pas dire que j'avais brillé par mon apport original à l'élaboration du projet, mais j'étais bien content quand même. L'assurance d'Armand était venue à bout de ma déprime.

*
* *

Pour ne pas perdre de temps, nous avions décidé qu'Armand opérerait le lendemain. La mise en scène pour la récupération des bijoux des mains d'Armand, qui devait sortir par la grande porte de l'hosto, blanc comme la neige de ses cheveux, c'était digne d'un numéro de cirque, avec trapèze, sans filet. Si on se plantait, et qu'on finissait en cabane, à la sortie, on trouverait du boulot chez Pinder !

J'avais poussé mes foutus chariots toute la matinée et les vieux ne m'avaient jamais paru si lourds, mais lourds... Un mal de chien à les tirer de leur pieu, un mal de chien à les traîner dans les couloirs, et tout ça sous l'œil des flics.

Cette matinée épuisante m'avait donné un mal de crâne fabuleux. Lorsque Armand s'est amené à la rééducation, je ne l'ai pas reconnu immédiatement. Il a fallu les mimiques excitées de Lepointre pour me mettre la puce à l'oreille.

On était assis en ergo, à boire le café, Strapoulos, Lepointre et moi, en compagnie de Mlle Soquet, qui, depuis qu'elle avait reçu la médaille des éléments d'Honneur de l'AP, semblait prendre plaisir à frayer avec le bas peuple. Ou alors, bien pire, son idée lubrique du soir de la Saint-Romanic, cette brusque pulsion érotique qu'elle avait nourrie à mon égard, cette envie de se sauter le petit Frédo la travaillait toujours, car elle ne me quittait pas des yeux, de ses gros yeux gourmands, en sirotant son expresso à petites gorgées.

On a frappé à la porte de l'ergo et un monsieur très bien de sa personne est entré, tenant un grand bouquet de fleurs et une boîte de bonbons roses à la main.

Armand s'était teint les cheveux, collé une moustache fine sur la lèvre et portait de grosses lunettes à monture d'écaille. Chemise de soie, cravate sombre, pardessus noir, pantalon bleu nuit au pli irréprochable, escarpins vernis, vraiment, quelle élégance, cet Armand ! Plus rien à voir avec la dégaine de bohème anar que lui conféraient sa vieille canadienne râpée et sa barbe abondante...

Quand elle l'a vu entrer, Mlle Soquet s'est dressée d'un bond, toute rouge en rajustant sa blouse froissée, elle a bafouillé un bonjour confus.

— Oui, c'est bien moi la surveillante dont on a parlé dans les journaux et causé dans le poste.

Elle avait gloussé cette entrée en matière d'une voix suraiguë en frétillant de l'arrière-train, qui, je le signale pour la précision du récit, est énorme.

Pauvre Mlle Soquet, elle était persuadée que les fleurs, les bonbons, ce monsieur si bien mis, c'était pour elle, une visite d'admirateur, en quelque sorte...

Armand a amorcé un mouvement, légitime, de recul devant la charge de ce monstre.

— Veuillez m'excuser, messieurs, madame, je suis à la recherche de mon oncle, M. Lagoncière, qui est hospitalisé dans votre établissement. J'avoue m'être égaré dans les couloirs ! Voudriez-vous avoir l'amabilité de m'indiquer le chemin de sa chambre ?

Dépitée, Mlle Soquet a néanmoins été très sport en se proposant comme guide jusqu'au rez-de-chaussée du bâtiment Nord. Deux minutes plus tard, elle était de retour. Armand n'allait pas tarder à se mettre au boulot.

Lepointre s'est levé, prétextant une petite sieste. Subitement, je me suis souvenu que j'avais une réparation ennuyeuse, mais ô combien nécessaire, à effectuer sur un de mes éternels chariots.

Dans la remise où Budat et moi nous entassons nos précieux outils de travail, j'ai récupéré le sac de sable de rééducation que j'avais fauché le matin même dans le placard des kinés.

Pour que les vieux puissent marcher droit, il faut les rééduquer : il est indispensable de disposer d'un matériel moderne et sophistiqué. La plupart du temps, on installe les aspirants à la survie dans des cages grillagées, munies de poulies. Ensuite, on leur fixe le bras ou la jambe, c'est selon, avec des lanières de cuir. Et on enveloppe l'articulation à faire marcher droit dans une espèce d'étui, gant ou savate, prolongé par une corde. On suspend la corde à une poulie et, au bout de la corde, on fixe un sac de sable de poids variable. Comme ça, le pépère ou la mémé tire tout seul sur la corde en soulevant le poids. Dix minutes deux fois par jour, vingt tractions par minute et hop, au bout d'un mois, sous la peau vermoulue roule à nouveau la masse gracieusement féline d'un muscle régénéré. Kinésithérapie, ça s'appelle, en langage scientifique !

Jusqu'à ce que le client se pète à nouveau le col du fémur en tombant dans les escaliers ou se fasse fracasser le poignet par la porte d'un ascenseur. Et rebelote jusqu'à ce que mort s'ensuive...

*
* *

J'avais dérobé un sac de sable de cinq kilos, habituellement inusité, parce que, quand même, les vieux, c'est pas Ursus. Les sacs sont très beaux, rectangulaires, de cuir brun fauve, avec de grosses coutures de fil bleu.

Patiemment j'avais fait sauter un à un les points d'une des coutures, vidé le sable, un peu moins de la moitié, dans le siphon de la baignoire de l'hydrothérapie, en faisant gaffe qu'un flic ne traîne pas dans les parages. Et j'y étais allé tout doux pour ne pas boucher la conduite.

Aucun risque qu'on s'aperçoive du vol, parce que les kinés piquent des sacs à tour de bras pour les embarquer chez eux ; ça fait du matériel gratuit pour le cabinet privé où ils font des heures sup'.

En attendant le moyen adéquat pour faire sortir les diamants de l'hosto, le sac de sable, une fois recousu, ferait une cachette acceptable. C'était une idée de moi tout seul, pensée de A à Z dans ma tête personnelle.

Je suis allé négligemment déposer mon sac en ergothérapie, au milieu des caisses de raphia, des brins de rotin et des sacs de terre de Strapoulos. C'était très pénible de ne pouvoir aider Armand ! Il fallait attendre et le laisser agir seul.

Malgré tout, nous nous sommes retrouvés dans le couloir du troisième étage, à rôder autour de la chambre 9. Lepointre discutait le bout de gras avec la surveillante, et moi j'étais entré dans une piaule au hasard, la 4, où un malade regardait la télé.

J'ai fait semblant, pour du beurre, de m'intéresser aux aventures de Mannix qui démantelait, les doigts dans le nez, un réseau international d'individus subversifs. Propagande impérialiste, dirait Jeanine...

Au bout d'une petite demi-heure d'angoisse et d'incertitude, la porte de la chambre du pépé Lagoncière s'est entrouverte et Armand a pointé le nez dehors, avant de sortir, en bras de chemise. C'était le signal que tout marchait bien, que tout était OK, comme ils disaient dans *Mannix*.

Armand s'est arrêté sur le pas de la porte et j'ai entendu sa voix calme qui s'adressait au pépé Lagoncière, à l'intérieur de la chambre.

— Ne t'inquiète pas, tonton, je reviens tout de suite. Je vais aux toilettes...

Chapeau pour Armand ! Il avait réussi à convaincre l'ancêtre qu'il était bien son neveu ! Je suis redescendu au rez-de-chaussée avec Lepointre, en m'efforçant de ne pas galoper. Si un flic était passé par là avec un détecteur, on lui aurait fait exploser son engin, tellement on avait le cœur qui battait fort.

Lepointre s'est installé dans le couloir du bas, devant la parafango, avec un journal. Je suis retourné à la remise à chariots en laissant la porte entrouverte pour ne rien perdre de la suite.

Deux minutes plus tard, perdu dans le flot des visiteurs de l'après-midi, l'Archiviste est apparu au bout du couloir, l'air serein, le sourire aux lèvres, le brave mec qui vient de faire sa bonne action en visitant le vieux malade.

Quand il est arrivé devant la parafango, Lepointre s'est levé, son journal déployé devant lui, faisant semblant de lire en marchant. Et il a buté fort contre Armand.

— Oh, pardon, monsieur...

— Mais non, je vous en prie, c'est moi qui m'excuse...

Voilà, c'était terminé, le transit de la camelote s'était effectué en plein milieu des visiteurs et des malades. Lepointre tenait contre lui, sous sa veste de pyjama, une pochette en plastique. Il a rabattu le pan de sa robe de chambre comme s'il avait froid.

Tous les deux, nous nous sommes dirigés vers le kiosque à journaux. Derrière la vitre, de cet endroit, on aperçoit très bien la loge de la grande entrée de l'hosto. Armand, nonchalant, s'est présenté à la fouille avec le sourire et, quelques instants plus tard, il hélait un taxi.

*
* *

Ces bon dieu de diam's, il fallait à présent les planquer, et vite, les flics rôdaient toujours, tombant à bras raccourcis, inopinément, sur tel ou tel visiteur qu'ils croyaient suspect.

— Bon, on fait comme prévu, tu m'attends à l'ergo. Je crois pas que j'en ai pour longtemps.

— Où tu vas faire ça ?

— Dans une chiotte, c'est encore ce qu'il y a de mieux. Les lardus ne nous suivent pas jusque-là !

— T'as ce qu'il te faut ? Fais vite, essaie d'avoir fini avant que l'alarme soit donnée...

Lepointre avait ce qu'il lui fallait : une série de poinçons très fins pour démonter les bijoux et ne garder que les pierres. Il s'est enfermé une bonne demi-heure dans les w.-c., sans que personne l'y ait vu entrer.

Il était déjà deux heures et demie, je devais bientôt quitter mon service, et Lepointre ne sortait toujours pas de ses chiottes.

J'attendais dans ma remise, et je commençais à en avoir ras le bol de démonter et remonter toujours la même roue de chariot depuis le début de l'après-midi.

Surtout que Glaodec était venu me voir, l'air surpris que je m'active ainsi, avec tant de délicatesse et de patience, alors que d'ordinaire je tape sur les roues à coups de marteau pour les redresser. Et ça le fait gémir qu'un asocial de mon espèce esquinte à ce point le matériel de la collectivité. Ça devrait être interdit et, s'il n'y avait que lui, ça ferait un bon bout de temps que je serais foutu à la porte.

— C'est bien, ça, mon petit Frédéric, je vois, et je note, oui, je note avec satisfaction que mes conseils ont porté... Continuez, continuez...

Ouf, il était parti, les deux pouces coincés dans les poches de poitrine de sa blouse, le torse en avant, l'air supérieur. Ce jeune con, je dois lui avoir foutu la trouille à toujours lui gueuler dessus, il en a pris de la graine, maintenant, il y fait gaffe, à ses chariots. S'il continue à bien se conduire, je lui prêterai *le Hérisson*, un geste comme ça, pour le récompenser. Quand on est chef, il faut savoir manier les hommes !

Lepointre est enfin sorti de ses chiottes, après avoir tiré la chasse, pour plus de vraisemblance. Il m'a remis la pochette en plastique, je lui ai passé le sac de cuir, ainsi qu'une grosse aiguille et une bobine de fil épais et bleu, de la même teinte que l'original. J'en avais bavé dans toutes les merceries de Juvisy avant de dégotter quelque chose de convenable.

Nous sommes sortis du service de rééducation et, crac, nous étions nez à nez avec le commissaire Trottin qui faisait sa tournée des popotes. Heureusement, il n'a pas prêté attention à nous.

Devant le kiosque à journaux, nous nous sommes séparés. Lepointre est entré dans un nouveau w.-c. pour faire sa petite couture, j'ai marché calmement jusqu'aux cabines de téléphone, qui sont installées dans le hall qui mène aux locaux administratifs et au bureau du dirlo.

Pour nous débarrasser des montures de bijoux, nous avions pas mal hésité. Il fallait éviter les poubelles, fouillées par les immigrés-surveillés-par-les-flics ; ça ne valait pas la peine de prendre des risques et de se faire piquer bêtement à tenter de dissimuler les carcasses (en or, malgré tout) des bijoux de Mme d'Artilan. De feu Mme d'Artilan.

Lepointre m'avait tanné le cuir pour que je les planque dans un faux plafond, ce qui retarderait leur découverte.

Je l'avais convaincu, non sans mal, qu'on pouvait trouver quelque chose de banal, moins acrobatique, et tout aussi rusé.

J'avais pensé aux cabines de téléphone, qui comportent un plateau où est fixé l'appareil. Les plateaux ont un petit rebord, par en dessous. Je devais coller le sac de plastique contenant les montures avec du sparadrap en dessous de l'un des plateaux. Rien de plus facile, en composant un numéro bidon...

Il y a tellement de gens qui téléphonent dans une journée que ça laissait une confortable marge de sécurité. D'ici à ce qu'on retrouve le sachet, Glaodec serait devenu intelligent...

Arrivé devant les cabines, j'ai hésité à faire la queue pour avoir ma soi-disant communication. Une bonne vingtaine de malades attendaient, plus des tontons, des cousins et des petits-neveux de pensionnaires de l'hosto, patientant avant de pouvoir rassurer la famille : oui, les gars, vous faites pas de mouron, le vioque est gaga, et bien mal en point, l'héritage, c'est pour dans pas longtemps !

De plus, un ou deux flics qui ne pouvaient s'empêcher de régler la circulation étaient plantés au beau milieu du couloir. Après les menaces de Trottin à mon égard, j'avais un peu la pétoche !

Je me suis rabattu sur la seconde solution : les w.-c., comme Lepointre. Ce n'était pas génial, mais c'était préférable au téléphone, vu l'affluence.

J'ai dégotté une belle cabine, bien propre, en face de la radiologie, je m'y suis enfermé à double tour, et, grimpé sur la lunette, j'ai soulevé le couvercle de la chasse d'eau...

J'ai déposé mon chargement à l'intérieur, avec délicatesse. Lepointre était assez contre, car il pensait que ça pouvait détraquer la mécanique et le plombier qui viendrait réparer s'en souviendrait longtemps, de sa trouvaille... La tuile pouvait survenir rapidement, ce qui déchaînerait la colère des flics. Tant pis, je l'ai fait quand même.

Après ça, il ne me restait qu'à récupérer le sac de sable et à le remettre à sa place, parmi ses semblables. Lepointre l'avait déposé dans la remise à chariots, et je l'ai calé au fond d'une étagère, derrière des cannes et des béquilles.

En ce moment, il n'y avait aucun risque qu'un kiné maraudeur tombe dessus pour le ramener chez lui, avec tous les contrôles à la sortie de l'hosto...

*
* *

Dans la rue, en mettant en marche ma mobylette, j'ai soufflé un peu. Ces diamants, on ne les aurait pas volés... J'étais assez content de moi, parce que, ce jour-là, j'avais eu beaucoup moins la trouille que le soir de la Saint-Romanic. Je devenais un vrai de vrai de dur de dur.

Nous n'avions pas fixé de nouveau rendez-vous chez Armand pour l'après-midi, seulement le lendemain. Chacun devait réfléchir et tenter de trouver une astuce qui permettrait de déjouer le dispositif de Trottin.

J'ai traîné un peu, puis je suis allé chercher ma Jeanine au boulot, à l'autre hosto à vieux de la région. Je me suis fendu d'un bouquet de roses, histoire d'amadouer ma moitié, au cas où mes occupations illicites m'amèneraient à quitter le domicile conjugal. Il faut prévoir les coups durs, lorsqu'on est un truand marié.

Jeanine quitte plus tard que moi, avec les bureaux, vers dix-sept heures. J'avais un peu l'air cloche, mon bouquet à la main... Le flot des bureaucrates hospitaliers a défilé devant moi. Ma Jeanine est arrivée en retard : une question syndicale à régler avec les camarades !

Je lui ai tendu mes fleurs trempées par la pluie. Elle m'a fait remarquer que c'était une coutume petite-bourgeoise, mais j'ai bien vu qu'elle était très contente... Je tombais bien, parce qu'elle avait acheté deux billets de théâtre par le comité d'entreprise, et on a filé à Paris, au Palais des Sports, assister aux aventures d'un certain Potemkine.

Ce truc-là remuait dans tous les sens, ça chantait, il y avait énormément de fumée. Je regardais fixement la coque du bateau, la féerie aquatique et révolutionnaire m'a envoyé comme un signal : aquatique ? Génial, le déclic, aquatique, voilà l'idée rusée, voilà la trouvaille !

On allait les faire naviguer, nos diamants : par les égouts de l'hosto ! Par les canalisations d'eaux usées ! Il suffirait de placer les pierres dans une boîte étanche et de la récupérer dans les sous-sols, flottant dans les eaux nauséabondes... Ce ne serait pas très ragoûtant, mais pour deux cents briques on ne fait pas le délicat. J'ai applaudi à tout rompre les comédiens. Jeanine était heureuse de me voir apprécier un spectacle aussi culturel.

J'étais très fier de mon idée... Le lendemain matin, j'ai foncé réveiller Lepointre dans sa chambre. Je lui ai dit ma proposition qui, j'en étais persuadé, ferait date dans l'histoire du banditisme... Il s'est marré, d'un rire aigre, et m'a tapé sur l'épaule d'un air condescendant.

— Tu lis trop les journaux, mon pauvre Frédo ! Et ne prends pas Trottin pour un manche, il ne faut jamais sous-estimer l'adversaire... Tu vas descendre au rez-de-chaussée, jusqu'à la loge. Regarde bien autour de toi, et reviens me voir : je te donnerai mon idée, parce que je crois bien, moi, avoir trouvé le moyen de nous sortir du pétrin !

J'ai descendu les escaliers quatre à quatre, encore plus vite que le landau dans l'histoire des ancêtres de Jeanine, au passage, j'ai renversé Parkinson (ça faisait longtemps...) et, près de la loge, j'ai fait mine de fouiner dans mes sacoches de mobylette...

Et j'ai vu... Trottin, l'enflure, avait installé deux de ses zouaves à surveiller la grille qu'ils avaient installée en travers du collecteur de l'hosto. Ils avaient dégagé la grille, et un de leurs collègues, chaussé de longues cuissardes, s'apprêtait à descendre dans l'égout, armé d'une longue fourche pour fouiller les détritus. Tout ça, sous l'œil bienveillant du marchand de cercueils !

Défait et honteux, j'ai rejoint Lepointre. Il mordait à belles dents dans son croissant, l'air narquois.

— Alors, jeunot, t'as saisi ? C'était pas mal, ton truc, mais c'est pas encore ça ! J'ai trouvé mieux... Faut voir les détails d'application. On va consulter Armand, comme prévu. Faut se grouiller. Hier soir, j'ai vu l'interne : il a dit que je quittais l'hosto dans une semaine. Je peux plus faire traîner, mon bras est guéri...

Il n'a pas voulu davantage s'étendre sur la teneur de son projet. Ce matin-là, c'était jour de consultation au service de rééduc'. Glaodec préparait les dossiers des malades, en compagnie de Mlle Soquet. Parkinson était sur la liste des consultants, c'était le seul ancien, tous les autres étaient des nouveaux.

Quels cinglés allait-on encore nous coller dans les bras ? Je me posais la question, comme lors de chaque arrivage. Et quelle pouvait bien être l'astuce de Lepointre ?

Picasseau est arrivé avec une demi-heure de retard, comme d'habitude. Et la consultation a débuté dans l'hilarité générale. Deux arthritiques, un joli cas d'ostéite, un amputé, un train-

train, le ronron. Picasseau en était à un invraisemblable cas d'artérite de compétition, le truc qu'on ne voit que dans les bouquins, lorsque Trottin est arrivé dans la salle d'examen, s'excusant d'interrompre Picasseau, et demandant à Mlle Soquet de le suivre sans tarder.

— Encore une interview pour la télé... a-t-elle soupiré, cabotine.

Mais ce n'était pas la télé. La nouvelle a couru comme une traînée de poudre : les flics avaient retrouvé la mallette ! Immédiatement, ce fut le brouhaha, la confusion.

— On les tient, on les tient ! beuglait Glaodec.

Non, « on » ne les tenait pas... « On » tenait seulement la mallette, et vide ! Mlle Soquet est sortie du bureau de Trottin et nous a narré la chose.

— Le petit monsieur élégant qui a demandé la chambre de Lagoncière, vous vous souvenez, Frédéric ? Eh bien, c'en est un de la bande ! Si !

Il y avait tout un attroupement autour d'elle. Elle s'était assise sur une table de massage et prenait des poses en toisant son auditoire d'un air supérieur.

— Mais qu'est-ce qui s'est passé ? Où donc qu'elle était-elle, la mallette ? s'est enquis Glaodec, un petit carnet à la main. (Il devait faire sa propre enquête...)

— Figurez-vous que la surveillante du Nord a retrouvé Lagoncière tout content, avec des fleurs et des bonbons... Lagoncière lui a dit que c'était son neveu, qui lui avait apporté tout ça. Elle s'est étonnée, parce que, Lagoncière, il n'a plus de famille. Il les a tous enterrés ! La surveillante a prévenu la police. Et Lagoncière a dit que son neveu était très gentil, il a même regardé dans le plafond de la chambre s'il n'y avait pas des trous, des fois qu'il pleuve. Le neveu a expliqué à Lagoncière qu'il cachait des armes dans le plafond, pour si les boches revenaient... M. Trottin a inspecté le plafond, et qu'est-ce qu'il a trouvé ? Hein ? La mallette vide, et un stéthoscope, et M. Trottin il dit comme ça que c'est grâce au stéthoscope que le bandit il a pu ouvrir la mallette ! Voui, vous vous rendez compte ?

— Mais vous, a repris Glaodec, qu'est-ce que vous avez à voir là-dedans ?

— Mais c'est moi qui l'ai guidé jusqu'au bâtiment Nord, le bandit, le jour où il est venu... Comme c'est moi qui l'ai vu le plus longtemps, le commissaire m'a demandé de faire un portrait-robot. Voilà, voilà...

— Donc, vous êtes complice... a susurré Glaodec, qui n'avait pas compris grand-chose.

Les sbires en képi se sont déchaînés. Ils cavalaient dans tous les sens, bousculant tout le monde, fouillant tout, puisque l'inconnu aux fleurs et aux bonbons, « le neveu » de Lagoncière, le suspect n° 1, était sorti de l'hosto sans les diamants... Ils en étaient certains : ils l'avaient fouillé !

Moins d'une heure après, les hérauts de M. Hassouf, les deux Auvergnats qui traînent autour des bureaux, ont placardé partout dans l'hosto une proclamation du tandem Hassouf-Trottin...

L'affiche disait que l'établissement traversait un moment difficile, et que tous, et que toutes, quels que soient leur grade, leur fonction et leur fiche de paie, devaient collaborer avec la police, signaler tout ce qui pouvait sembler anormal, et le premier qui le ferait pas, c'était la porte.

Trottin précisait qu'il était persuadé que les diamants n'avaient pas quitté l'hôpital, il les retrouverait, foi de Trottin ! Celui qui avait ouvert la mallette n'était qu'un comparse, un complice de second rang, le cerveau du gang vivait au sein de l'hôpital, et, par sa malhonnêteté, salissait cette grande famille qu'est l'Assistance publique !

Les syndicats ont répliqué à la proclamation en quelques mots lapidaires et bien envoyés. C'est qu'il ne fallait pas compter sur eux pour tomber dans la provocation : à ce petit jeu, on ne les aurait pas ! Je n'ai pas bien saisi ce qu'ils voulaient dire par là, mais, en tout cas, c'était rédigé dans un style on ne peut plus nerveux !

Le midi, à la cantine, tout le monde commentait l'événement avec entrain. Au beau milieu des remugles de hachis Parmentier, les conversations s'animaient, on se hélait d'une table à l'autre.

Il n'y a pas eu grand monde dans le bureau de Trottin, pour venir raconter ce qu'on avait vu d'anormal. Sauf Glaodec, qui n'a pas pu résister, et est allé dire au commissaire qu'il n'avait strictement rien vu d'anormal, et justement c'est bien ça qui n'était pas normal...

Au café, en ergothérapie, on a discuté l'affaire, tout le monde donnant son avis, sauf Bartan. Pour m'occuper jusqu'à quinze heures trente, je ne pouvais décemment pas continuer à réparer mes chariots, ce serait devenu louche, et Glaodec rôdait. Je suis allé me cacher à la parafango...

Chez Bébert, j'ai retrouvé Lepointre, tendu et anxieux. Nous avons bien pris garde de ne pas être suivis : on ne sait jamais... Et nous sommes allés directement chez Armand, boulevard de Sébastopol. Attablés devant la petite collation que l'Archiviste avait préparée, nous avons interrogé Lepointre : quel était son plan ?

— Voila, les gars, je me suis beaucoup creusé le ciboulot, je crois que le dispositif de Trottin est imparable... Les fouilles, le travail de fourmi, c'est efficace, et ça n'a qu'un but : nous faire commettre une bourde ! D'où son affiche : c'est la guerre psychologique, ça !

— Et alors ?

— Pas de panique, Frédo... Trottin a tout prévu, le coup des égouts le prouve. Hier, j'ai eu une illumination, en reluquant la boutique de cercueils.

— Lepointre, t'es pénible, viens-en au fait !

— C'est simple : où sont les diam's ? Dans un hôpital. Qu'est-ce qu'on y fait, dans un hôpital ? On y meurt !

— Surtout dans celui-là !

— M'interromps pas, Frédo ! Hier, le dispositif de Trottin était déjà en place, un petit vieux est venu chercher le cercueil de sa mémé, et l'a embarqué dans un corbillard municipal. Il y avait trois petites vieilles, derrière le cercueil ; c'était sur le coup de dix-huit heures trente. Croyez-moi si vous voulez, les flics ont fouillé tout le monde, mais pas le cercueil !

Armand a sifflé, j'ai applaudi. Lepointre était un génie ! Puis j'ai réalisé ce que signifiait une entreprise de ce genre...

— Attendez, ai-je dit, et si on attendait tranquillement que les lardus se calment ? Ils vont pas faire leur bordel pendant six mois ? On attend que Trottin se lasse, et on sort nos diam's un par un... !

— Tu rêves, Frédo, les flics ne lâcheront pas. On est à la merci d'un coup de malchance : une inspection de Gloadec dans le matériel, un poulet plus futé que les autres... Et, depuis le coup du plafond, ils sont déchaînés ! Le jour à la rigueur, ils sont supportables, mais tu les verrais la nuit, ils font le chambard, à retourner les matelas, à vider les placards, fatalement on aura un pépin, à la longue !

Armand a abondé dans le sens de Lepointre. Puis il s'est frappé le front du plat de la main avant de poursuivre.

— Hé, mieux que dans un cercueil : dans un cadavre ! C'est pas ça qui manque... Imaginez Trottin, tout d'un coup : il devient soupçonneux en voyant un corbillard sortir de l'hosto ; il fait ouvrir le cercueil, crac, on est cuits... Tandis que, dans un cadavre, pas de problème... On ouvre le bide au scalpel, on vire un peu de barbaque, on enfourne nos diam's, on recoud, on passe ses vêtements au macchabée, et hop là. Trottin n'ira jamais éplucher un mort. D'ailleurs, les familles se plaindraient !

Il n'y avait rien à redire. Nous avons hoché la tête, pensivement. La solution de Lepointre, enrichie par Armand, c'était la panacée.

— Il faut faire vite, a repris Lepointre, on surveille les mourants et, dès qu'on en voit un de potable, on se fait une expédition à la morgue, de nuit...

Armand s'est marré, doucement, en secouant la tête, et en faisant non-non, de la main.

— Fais gaffe, tu viens de le dire toi-même, Lepointre : la nuit, les flics sont encore plus pénibles que le jour. Entre se planquer dans les w.-c. pour démonter un collier et pénétrer dans la morgue pour ouvrir un cadavre, il y a une petite différence.

— Alors ?

— Alors ? Frédo... Il y bosse, à l'hosto. Il faut qu'il se fasse muter à la morgue !

Ben voyons ! C'était tellement simple. Moi qui n'ai jamais pu supporter les cadavres, j'étais l'homme de la situation ! Armand et Lepointre ont mis plus d'une heure à me convaincre. J'acceptai enfin le projet, de mauvaise grâce. Ce qui ne réglait rien. Il n'était pas question de débarquer dans le bureau de M. Hassouf et de lui dire : voilà, voilà, pour notre histoire de gangsters, si vous pouviez muter Frédo à la morgue, ce serait sympa ! Nous nous sommes donc torturé les méninges une nouvelle heure avant d'entrevoir la solution...

9

La morgue, dans mon hosto, est tenue par le gang des Auvergnats. Dans les grands hôpitaux, là où l'on soigne les gens, la morgue n'est pas forcément une planque recommandable. Il y a un travail fou, entre le chargement des cadavres, la toilette, les dissections, les autopsies... Bien souvent, les médecins lorgnent du côté des beaux macchabées encore chauds pour venir faire un peu de charcuterie et récupérer des organes intéressants. Anatomo-pathologie, on dit, en langage médical...

Bref, les garçons morguistes triment comme des bœufs. À l'hosto, c'est pas du tout ça. Les cadavres de vieux, les médecins s'en balancent. Il y a un ou deux décès par jour, parfois un peu plus, avec des pointes à la dizaine au plus fort de l'hiver, mais c'est rare ; pas de quoi s'affoler... Les garçons morguistes ne sont que deux, un de jour, un de nuit. Ils sont en relation directe avec le marchand de cercueils d'en face la grande entrée. Dès qu'un vieux oublie de respirer, ils téléphonent au petit commerçant en donnant les coordonnées de la famille. Si celle-ci habite en province, ça marche à tous les coups : le marchand décrit son catalogue par téléphone et la famille achète une boîte capitonnée les yeux fermés. Et l'homme aux couronnes mortuaires partage le bénef avec les garçons morguistes !

L'un dans l'autre, ce n'est pas un mauvais coup. Sans compter les trafics de squelettes. Quand un vieux n'a plus de famille, personne ne vient réclamer le corps. Alors, au lieu de l'envoyer pourrir au fond d'une fosse commune ou de l'expédier au crématoire municipal, les deux Auvergnats récupèrent les os et les revendent à des carabins que ça intéresse.

Une entreprise artisanale, d'utilité publique, qui fait progresser la science...

Les morguistes sont assez rigolos, dans leur genre. Il y a un jeunot, petit et gros, qui s'appelle Monboudif. Et un type plus âgé, très grand, très maigre, qui se nomme Carpourat. Laurel et Hardy chez les nécrophiles...

Monboudif fait le jour, son copain, la nuit. Il y a un trou de quelques heures entre leurs deux services, mais ce n'est pas gênant. Un mort, ça n'est jamais pressé.

Ils sont un peu à part, tous les deux, dans le personnel. Personne ne leur adresse la parole, sauf le clan des Auvergnats. Il y a même des infirmières qui ont peur d'eux, dans les services de nuit. Mais je crois qu'ils sont plus bêtes que méchants.

Monboudif loge chez le marchand de cercueils, qui n'est autre que son beau-frère. Carpourat vit seul, dans un pavillon à demi en ruine, dans un chemin perdu, en lisière de la forêt de Sénart. Il a un petit bout de terrain, dans lequel il entasse tout un bric-à-brac de carcasses de vieilles bagnoles, de tuyaux de poêle éventrés, de machines à coudre à galène, etc. Morguiste la nuit et ferrailleur le jour, en voilà une vie fraîche et joyeuse !

*

* *

J'avais rendez-vous avec Armand, vers vingt et une heures, au pont de Juvisy. Il m'attendait tranquillement, en fumant un cigare, très relax. Je suis monté dans sa voiture, une traction fantastique, blanche, avec des sièges de cuir, de la musique, et un bar... Nous avons longé la forêt, dont les allées grouillaient de tapins en fourrure ne reculant pas devant la froidure. Nous nous sommes garés à trois cents mètres de la maison de Carpourat. Avant de se mettre au boulot, Armand m'a proposé un petit remontant, un vieux cognac, dont il m'a offert une large rasade dans un gobelet d'argent.

Il a sorti une valise du coffre de la traction, m'a donné une cagoule noire et une matraque de caoutchouc lestée de plomb. Lui aussi a pris une cagoule, une grande pince coupante. Sans bruit, nous nous sommes approchés du pavillon. Le coin était désert. En pataugeant dans les flaques de boue, nous nous sommes enfoncés dans les taillis, de manière à contourner la façade, et à déboucher sur l'arrière du terrain, ceint d'un grillage assez fatigué.

En trois coups de pince, Armand a pratiqué une ouverture dans la clôture. Il fallait progresser à pas de loup en évitant de remuer la ferraille jonchant le sol.

Je savais que Carpourat n'avait pas de chien : il en avait même une trouille bleue. Par la fenêtre de la cuisine, l'écran du téléviseur lançait des éclairs bleutés. Sans nous approcher davantage, nous pouvions entendre les éclats des voix des acteurs du western de la première chaîne. Carpourat devait être tout à la contemplation de la poursuite de la diligence par les Cherokees. Si, suivant son habitude, il avait ses deux litres de gros rouge dans l'estomac, nous ne courions aucun risque qu'il nous entende arriver...

Armand a glissé une main dans la vitre de la porte, cassée et remplacée par un carton. Il s'est avancé dans le couloir... De la cuisine arrivaient d'insupportables odeurs de graillon. On ne pouvait rêver mieux : Carpourat ronflait, affalé sur la table crasseuse, le visage enfoui dans ses bras croisés. Les Cherokees étaient sur le point de braquer la diligence, mais déjà l'on entendait au loin le taratarira des Tuniques Bleues.

Armand a dégagé la casquette qui trônait sur le crâne chauve du laveur de cadavres. De l'index, il m'a désigné un point, sur la nuque. J'ai levé ma matraque, et j'ai cogné. Carpourat s'est affaissé encore plus, assommé comme le chef des Cherokees qui venait de se faire ceinturer par le capitaine des Tuniques Bleues...

— Impec... a murmuré Armand. Tu le fais, ou je m'y colle ?

— Je... Je vais le faire !

— Allez, laisse tomber, t'as l'air d'avoir le trac... C'est pas la peine de l'esquinter plus que nécessaire.

Nous avons allongé Carpourat sur le carrelage plein de débris de coquilles d'œufs et de marc de café. Il ne soignait pas son intérieur, le bonhomme ! Armand a retroussé la jambe gauche du pantalon, a palpé le tibia.

— Dis donc, la douleur va pas le réveiller ?

Armand m'a montré sur la table les trois bouteilles vides ! La panse de l'infâme devait être pleine de velours de l'estomac. Plus le gnon que je lui avais mis...

D'un geste rapide, Armand a défoncé le tibia de Carpourat,

avec sa pince à découper. L'Auvergnat a eu un sursaut, mais ses yeux sont restés clos. Une ecchymose se dessinait sur la peau glabre.

— Allez, on y va...

Sans faire trop de raffut, nous avons consciencieusement saccagé la cuisine, renversant la table sur Carpourat, aspergeant les murs de pinard, cassant la vaisselle. Armand est entré dans la chambre et a retourné le matelas, vidé l'armoire. J'ai pissé au beau milieu du salon, après avoir déchiré les chromos en plastique ornant les murs. Sous un buffet, nous avons découvert un porte-documents, contenant quatre mille francs en liquide, et des papiers. J'ai éparpillé les bulletins de paie, les factures, au-dehors, pendant qu'Armand éventrait les fauteuils. Dans la cuisine, Carpourat gisait toujours, la jambe de plus en plus enflée. Armand a rabattu le pantalon sur la fracture et a soulevé la table pour la faire reposer sur le genou du morguiste.

— Comme ça, on croira que c'est la table qui lui a pété la canne !

Dans le jardin, j'ai fouiné un peu avant de trouver un jerrican d'essence. Armand a entassé des cartons, que j'ai arrosés avant de mettre le feu.

Nous avons roulé cinq ou six cents mètres pour nous arrêter devant un restaurant. Dans la salle, le patron regardait le chef des Cherokees se faire tabasser par les Tuniques Bleues. J'ai pris un jeton de téléphone pour appeler les pompiers et leur signaler l'incendie.

Armand m'a raccompagné jusqu'au pont de Juvisy où j'ai récupéré ma mobylette. Je suis vite rentré chez moi assister à l'enrôlement du chef des Cherokees dans la cavalerie comme éclaireur. Le capitaine yankee et lui, c'était devenu les meilleurs potes du monde !

*
* *

Le lendemain, c'était à moi de jouer, tout seul, cette fois ! Avant d'entrer dans l'hosto, j'ai fait une halte chez Bébert, pour éplucher les nouvelles des *Potins de l'Essonne*. L'« odieuse agression » contre Carpourat était relatée en page 4, entre le compte rendu des demi-finales départementales de belote

coinchée et la grande enquête sur le malaise des bedeaux...
Tout allait pour le mieux : le journaliste parlait d'une attaque
de voyous, du vol des quatre mille francs, et de l'incendie, qui,
bien qu'ayant débuté au beau milieu du jardin, aurait pu, par
malheur, atteindre la maison... Et patati, et patata. Carpourat
était k.-o. pour un bon bout de temps. À la pointeuse, le clan
des Auvergnats accueillait la nouvelle avec une douleur cer-
taine. J'ai compati, mais pas trop.

Et je suis allé balayer le gymnase, comme tous les matins.
Budat essayait un nouveau pendule, grâce auquel, disait-il, il
aurait tôt fait de retrouver les diamants. J'ai poussé mes chariots, salué Lepointre qui était convoqué chez l'assistante
sociale pour régler les détails de sa convalescence. Il était au
courant de la réussite de l'opération Carpourat par l'intermédiaire de Blastaquet, qui lui avait fait lire le journal. Et l'heure
de l'action, dix heures, a bien vite sonné...

À ce moment de la journée, il y a un creux, un léger ralen-
tissement de l'activité dans les services. On va au kiosque-
épicerie acheter un sandwich, on discute le coup, bref on
souffle un peu avant de s'y remettre jusqu'à l'heure du déjeu-
ner.

Glaodec traîne toujours devant les cages à poulies, ou à
l'électrothérapie. Excité par l'agression contre Carpourat, il
marmonnait tout seul, dans son coin. Il semblait à point pour
ma petite mise en scène. Mlle Soquet, seconde pièce maîtresse
du scénario, était dans le bureau des kinés, occupée à remplir
les feuilles de congé.

Je venais de charioter Glutin dans le gymnase pour son
exercice quotidien de lutte antirhumatismale. J'ai défait un à
un les boutons de ma blouse : Glaodec râle toujours contre
les blouses ouvertes, ça fait désordre, négligé, et tout.

Quand il m'a vu arriver en sifflotant, il a commencé à rugir.
Pour bien faire, j'ai renversé mon chariot et j'ai tapé dessus à
grands coups de basket en pestant contre ce matériel pourri !

Un silence pesant s'est abattu sur le gymnase. Tout le monde
sentait que ça allait saigner. Le chef kiné est resté interloqué
pendant quelques secondes. Puis il a enfin ouvert son groin.

— Frédéric ! Qu'est-ce qui vous prend ! C'est vous, qui êtes
pourri, toujours à en faire le moins possible !

Un petit attroupement s'était formé autour de nous. Les
kinés, Budat, Glutin... Glaodec avançait sur moi, vert de rage.

C'est alors que j'ai senti monter en moi un gigantesque sentiment de béatitude. Depuis longtemps, j'en rêvais, à mes moments perdus, et, à l'hosto, tous mes moments sont perdus. J'ai laissé l'imbécile approcher de quelques centimètres encore, jusqu'à pouvoir respirer son haleine fade. Et, sentencieusement, je lui ai allongé une baffe ! Ah ! le pied, ah ! le grand pied !

Après un instant de stupeur, il m'a sauté dessus, exigeant des excuses, on allait voir ce qu'on allait voir. Je l'ai repoussé, et, comme prévu, je me suis réfugié dans le bureau de Mlle Soquet, pendant qu'il cavalait autour du gymnase en beuglant au scandale.

Dans un coin, devant un box de massage, j'ai aperçu Lepointre, hilare. J'ai claqué la porte derrière moi et je me suis jeté sur ma surveillante.

— Qu'est-ce qui vous arrive, mon petit Frédéric ? s'est-elle écriée, en croisant les jambes, de façon à me faire admirer ses cuisses sanglées dans des accessoires de pub pour sex-shop.

— C'est Glaodec, je peux plus le supporter ! Faites quelque chose, je vous en prie !

Et, ce disant, j'ai posé ma main sur son genou frémissant. Je jouais mon va-tout. Le contact de ma paume sur sa cuisse lui a mis le feu aux joues (et ailleurs, aussi).

— Attention, Frédéric, on pourrait nous voir... a-t-elle chuchoté, haletante.

Elle s'est levée, en tremblant de tous ses membres, et Dieu sait si elle en a !

Elle est sortie en me passant la main dans les cheveux et en me frôlant de sa poitrine dont j'ai dit déjà qu'elle était maf-flue... En attendant son retour, je me suis marré : tout marchait comme sur des roulettes. De chariot.

Elle est revenue dans le bureau au bout de cinq minutes et m'a conduit au bureau de M. Hassouf. Elle m'adressait des sourires prometteurs en murmurant qu'effectivement Glaodec abusait.

— S' qu'y s'passe ? a grogné le dirlo.

— Un conflit de personnes... entre M. Glaodec et Frédéric ! Glaodec abuse de son autorité, Frédéric est un garçon sensible...

— C'est vrai, ça ?

— Oui, m'sieu, je veux plus travailler avec lui...

— Bon, je vous crois. Mais je n'ai pas de temps à perdre avec des broutilles pareilles, avec tout ce qui se passe dans l'établissement, en ce moment !

Nous avons hoché la tête. C'est bien vrai, ça, un monsieur comme le directeur ne peut pas s'user la santé avec de semblables vétilles...

— Alors, qu'est-ce que je peux faire, moi ? a-t-il soupiré.

— Changez-moi de service, je veux plus travailler avec Glaodec !

J'avais réussi à faire perler une larme au coin de mes paupières, et je faisais trembler ma voix.

— Je crois, en effet, que c'est la meilleure solution ! a approuvé Mlle Soquet.

Hassouf s'est levé péniblement, pour venir se planter devant le panneau des effectifs. De son doigt gras, il parcourait les colonnes de fiches cartonnées, rouges, bleues, vertes.

— Bon, bon, mais où je vais vous mettre ? L'effectif est complet. Il n'y a rien... Ou alors je vous propose une solution temporaire, en attendant mieux : vous remplacez Carpourat, qui va être absent au moins un mois. Ce n'est pas un poste très drôle, mais c'est tout ce que je peux faire... Ça vous irait ?

J'ai dit oui, oh oui, vous êtes bon, si bon, je ferais n'importe quoi, pourvu que Glaodec ne me fasse plus souffrir !

— Bon, eh bien, Mlle Soquet, vous réglerez les détails et, quand Carpourat sera de retour, on trouvera autre chose.

J'ai couru dans le hall, Mlle Soquet sur mes talons, suant à grosses gouttes, roucoulant, me lançant des œillades gourmandes...

C'était l'effervescence dans le service. Glaodec continuait de pester contre la jeunesse pourrie. Mlle Soquet lui a demandé de partir quelques minutes, le temps que je récupère mes affaires dans le vestiaire. Il n'a rien voulu savoir et s'est planté devant son placard en disant qu'il m'empêcherait de lui voler quelque chose, dans son vestiaire à lui ! Na !

Budat avait l'air peiné que je quitte le service, et aussi l'ergothérapeute. Carisse feuilletait un magazine d'haltérophilie, bavant devant les monstres en slip qui se prélassaient au fil des pages... Mon départ ne lui a fait ni chaud ni froid. Un qui a sacrement râlé, c'est Glutin. S'il avait été encore d'active, il collait Glaodec au trou. Crac, dedans !

Ma blouse de rechange sous le bras, je suis parti en compagnie de ma bienfaitrice. Nous sommes allés jusqu'à l'ascenseur, pour descendre jusqu'au sous-sol, où se trouve la morgue.

Quand le vin est tiré, il faut le boire. À mi-étage, elle a appuyé sur le bouton « stop », nous coinçant ainsi dans la cage, coupés du reste du monde.

Après avoir ouvert sa blouse, elle m'a serré dans ses bras puissants, en me mordant dans le cou et en se frottant contre mon torse.

D'un geste sans appel, elle a dirigé ma main sur sa croupe abondante, m'amenant par là même à la flatter. Ce qui la mit dans tous ses états.

Là, dans l'habitacle étroit de cette cage garnie de graffiti obscènes, elle m'a violé, dans une mêlée furieuse de boutons arrachés, de slip lacéré, de sexe englouti avec rage.

Doux Jésus, ce fut très dur. En rugissant, elle me supplia de recommencer, c'était trop bon, elle n'avait jamais connu ça, encore, nom de Dieu, encore !

Par bonheur, on a tambouriné à la porte de l'ascenseur, au-dessus de nous. Il fallait descendre, mettre un terme à cette intimité diabolique. J'ai dû lui expliquer que j'étais trop ému, notre amour était si récent, j'étais marié, malgré tout, bientôt nous pourrions vivre un bonheur sans partage... J'ai ainsi pu échapper à une nouvelle tornade vulvaire qu'elle s'apprêtait à me faire subir dans un placard à balais. Elle m'appelait son petit bout de sucre, son croissant aux amandes. Tu es ma gelée de coing, répliquai-je, dans le même ton enamouré. Après avoir cédé à un dernier baiser baveux, je suis allé pousser la porte de la morgue, où m'attendait Monboudif, prévenu de ma mutation par M. Hassouf en personne.

Il ne semblait pas très heureux de me voir arriver en renfort. Pour calmer son animosité, je lui ai précisé que ma venue n'était que temporaire. Il s'est rassuré : il pourrait donc continuer ses petits trafics, peinard, sans avoir à partager les bénéfices.

Il s'apprêtait à me faire visiter les installations, lorsque le téléphone a sonné : une mémère du bâtiment Sud venait de rejoindre ses ancêtres. J'allais commencer mon apprentissage par une séance de TP. Nous avons pris un chariot, une sorte de grand landau plat, muni d'une ample capote de toile noire. Rien qu'à voir l'engin, on en a des frissons dans le dos.

Dans la chambre de la vieille, nous avons chargé le cadavre, et la surveillante nous a donné un petit tailleur noir, tout à fait convenable pour le cimetière. Retour à la morgue. Monboudif fonçait comme un dingue dans les couloirs.

— C'est pour pas que les sphincters se relâchent avant qu'on soit en bas, sinon ça fait du boulot en plus, question nettoyage ! Le soir, si t'as un client, grouille ! C'est la première chose à savoir.

Monboudif a bouché tous les orifices de la vieille avec des capsules de liège.

— Pour celle-là, pas de problème... Rien de spécial : y a pas d'autopsie, alors, on fait la toilette, on l'habille, et on la colle au frigo jusqu'à ce que la famille se pointe. Après, c'est les pompes fu' qui se démerdent. Pour la nuit, te fais pas de bile. S'il y a un bon pour une autopsie, tu colles le cadavre dans un tiroir, je ferai le boulot le lendemain matin. C'est pas la peine que t'apprennes si t'es là que pour un mois !

J'ai approuvé. Nous avons passé le petit tailleur noir à la mémé, avant de l'allonger dans un tiroir réfrigéré. Puis, à la lumière crue des néons, nous avons tapé le carton. Deux heures plus tard, la famille est arrivée. Ils habitaient tout près. Ils ont reconnu le cadavre, pas de doute, c'était bien mémé ! Monboudif les a habilement aiguillés sur le magasin de son beauf', qui n'a pas tardé à livrer un superbe cercueil capitonné. Mémé allait être aux anges, là-dedans !

Monboudif m'a encore expliqué quelques détails relatifs au travail, et je suis parti. Je ne commençais mon service véritable que la nuit suivante. Il suffirait que je trouve un cadavre refusé pour l'autopsie, que je l'ouvre, que j'y fourre les diam's, et que j'attende le croque-mort, en ayant bien pris soin de noter l'adresse de la famille, si possible celle du cimetière où elle comptait enterrer son défunt.

Je suis passé à la fouille, à la sortie de l'hosto. J'ai levé les yeux vers la chambre de Lepointre et je l'ai aperçu, tout là-haut. Jeanine, en apprenant mes mésaventures de la journée, a pas mal protesté : si je bossais de nuit, qu'allait donc devenir notre vie de famille ? Ah ? Je l'ai rassurée, mon service chez les morts ne durerait qu'un mois, et puis, surtout, j'avais réglé son compte à l'ennemi de classe Glaodec, allié du patronat pourri et corrompu !

La première nuit : rien, personne n'est mort. Je me suis fait tartir dans les sous-sols, en compagnie de deux beaux sujets d'autopsie enfermés dans les tiroirs. J'ai résisté à l'envie de regarder à quoi ils ressemblaient, découpés en rondelles.

La seconde nuit, j'ai saisi qu'il y avait du nouveau, en arrivant à la loge de la pointeuse, à en juger par l'excitation des flics qui continuaient à fouiller tout le monde. Le plombier de l'hosto avait découvert les montures des bijoux. Dans la chasse d'eau ! Deuxième proclamation du tandem Hassouf/Trottin, selon laquelle l'enquête avançait à grands pas !

Lepointre n'était pas très rassuré, car il avait le sac de diam's caché dans sa table de chevet. Nous étions à la merci d'une fouille intempestive. La rééducation étant bouclée la nuit, il avait bien fallu se décider à sortir le magot de l'armoire où il était caché, pour que Lepointre puisse me le passer au bon moment.

Nous étions convenus qu'il ferait trois rondes dans les couloirs, au cours de la nuit. Une vers minuit, une vers deux heures, et la dernière vers les quatre heures et demie. Les relèves de flics se faisaient un peu plus tôt.

Si je trouvais un macchabée potable, Lepointre me passerait le sac. Ses balades nocturnes ne posaient aucun problème. Les insomniaques sortent souvent de leur chambre, et, s'ils ne sont pas gâteux au point de se perdre, personne ne leur dit rien.

À minuit, le téléphone : un pépé venait juste de s'embarquer vers les enfers. J'ai agrippé le landau, couru, croisé Lepointre qui se tenait prêt. Pas de chance, l'interne de garde m'attendait pour me dire de caser le client au frais, pour l'autopsie.

On allait enfin savoir ce qu'il avait dans le ventre, celui-là, à toujours faire échouer les traitements miracles qu'on lui prodiguait depuis six mois ! Une fois le cervelet découpé en lamelles, il avouerait ce qu'il avait contre les médicaments dernier cri que le labo essayait sur lui, nom de Dieu !

Je l'ai convoyé jusqu'à la morgue où il n'aurait qu'à attendre le scalpel des sorciers en blouse blanche. À deux heures et demie, second coup de fil : une cirrhose venait juste de triompher de son hôte, au deuxième étage bâtiment Sud, à quelques pas de la chambre de Lepointre !

L'interne avait signé le bon-pour ; pas intéressant, celui-ci. Je pouvais lui faire sa toilette et l'habiller. La surveillante de garde m'a donné une valise contenant un costume.

Le gaillard pesait dans les quatre-vingts kilos. Une bedaine respectable, la soixantaine, un Breton nommé Yannick Le Moêl. Il avait quitté son terroir natal quelques mois plus tôt, pour aboutir à l'hosto. Un marin pêcheur, le Yannick, 56 ans. La surveillante recherchait l'adresse de la famille pour les prévenir.

— Le Moêl, Le Moêl, avertir son frère Yves, à... à... Kertivy-sur-Squénoêt, Morbihan.

La capote rabattue, je suis passé devant la piaule de Lepointre, qui, d'un geste rapide, a lancé le sac de diam's dans le landau.

J'ai croisé une ronde de flics, près de l'ascenseur, mais, lorsqu'ils ont entr'aperçu le contenu de mon véhicule, ils ont bredouillé des excuses et ont renoncé à le fouiller.

Je me suis enfermé dans la morgue avec Yannick, très coopérant. Allez, Frédo, faut tenir le choc ! J'ai fait la toilette au jet, rapide, après avoir obturé tous les orifices avec des bouchons de liège. Yannick semblait dormir, à poil, sa peau encore tiède reposant sur le plateau de marbre. Dans l'armoire où Monboudif rangeait le matériel, une armada de scalpels, de pinces, de louches, n'attendait que mon bon vouloir. J'ai choisi un couteau apparemment honnête, et enfilé des gants ultra-fins, de chirurgien.

Je me suis approché de Yannick, qui commençait à se raidir sous l'effet de la célèbre rigidité cadavérique ! Je ne savais pas où donner de la lame... Découper un cadavre, c'est facile à raconter, mais difficile à faire. Je me rappelais les planches d'anatomie que l'Archiviste m'avait montrées, un manuel acheté sur les quais. Mes souvenirs étaient des plus vagues.

Doucement, toût doucement, j'ai incisé, sur le flanc, à droite, dans la région du foie. J'avais peur d'appuyer trop fort, et que ça se mette à gicler dans tous les azimuts, vous voyez ça d'ici...

Après deux ou trois passages, j'avais à peine provoqué une grosse éraflure. Puis je me suis décidé, rhan, d'un grand coup sec, j'ai pratiqué une énorme boutonnière, d'une quinzaine de centimètres ! Un bout d'intestin est apparu, bourgeonnant de la plaie. J'ai tiré, un bon mètre est venu, que j'ai tranché puis suturé, aux deux extrémités. Un truc jaunâtre, dont je serais incapable de citer le nom, est parti avec le boyau. Il y avait du mou dans la panse du marin pêcheur, un vide que j'ai comblé avec le sac de diam's, avant de recoudre, en utilisant du gros fil de nylon, le même que celui que Yannick devait prendre pour ravauder ses filets éventrés par des poissons teigneux.

Une fois la plaie essuyée avec du coton, une grosse boursouflure se faisait jour, juste sous les côtes. Les déchets provenant des tripes de Yannick sont allés rejoindre les autres reliquats d'autopsie, dans les boîtes où les dépose Monboudif. Parmi la masse d'organes flottant au frais, le morceau de gros côlon et le truc jaunâtre passaient totalement inaperçus.

J'ai hissé Yannick sur une autre table à dissection, afin de pouvoir nettoyer la première. Les glaires et le sang à demi coagulé ont coulé dans les rigoles de la table, avant de disparaître dans le caniveau qui longeait la salle. Un coup de jet d'eau par là-dessus, et tout était net. J'ai habillé Yannick. À le voir dans ses habits du dimanche pour caveau, on n'aurait jamais soupçonné ce qu'il recelait, quel était le fruit de ses entrailles ! La boursouflure s'était un peu dégonflée, la veste du costume masquait ce qu'il en restait.

J'ai dégueulé un bon coup avant de glisser le marin pêcheur dans un tiroir réfrigéré. Il me fallait encore nettoyer les outils et les ranger, prendre une douche...

Vers sept heures, je suis passé voir Lepointre. Il a haussé les épaules, philosophe... À la maison, Jeanine m'attendait avec un bon café chaud. Je me suis couché, épuisé.

*
*   *

Je me suis réveillé vers midi, la trouille au ventre. Si Monboudif se mettait dans l'idée de contrôler mon travail, tout était cuit. L'après-midi, je suis allé rendre visite à Armand, qui m'a félicité pour mon sang-froid. On est allés faire une balade en voiture, sur les bords de la Marne, en parlant des guinguettes d'avant-guerre... De retour chez lui, on cassait une petite graine, lorsque le téléphone a sonné.

— Allô ? Lepointre à l'appareil. Armand ? Frédo est avec

toi ? Bon, notre colis est bien arrivé... Ouais. J'ai quitté l'hosto, moi aussi : l'assistante sociale vient de me faire les papiers.

— Rapplique, vieux singe, a rigolé Armand, je mets le champ' au frais

Une heure après, Lepointre était là. On s'est embrassés tous les trois, en se collant de grandes claques dans le dos.

— Le frangin de Yannick est venu en début d'après-midi, la surveillante lui avait téléphoné cette nuit. Il est descendu voir le corps à la morgue, puis il est allé signer les papiers, à l'administration. Il a acheté un cercueil au beauf' de Monboudif, une caisse en sapin, toute simple. Il a loué un corbillard, qui a embarqué le cadavre, le frère suivait en voiture : on a eu chaud. Trottin a tout fait fouiller. Avant qu'ils referment la bière... Enfin, les diam's sont en sécurité ! Alors, Frédo, pas trop crevé ?

On a trinqué encore une fois. Ils ont tous les deux insisté pour que je continue à bosser à l'hosto comme si de rien n'était. Je voulais me mettre en congé maladie.

— C'est comment, Frédo, le nom du bled d'où il était, Yannick ?

— Kertivy-sur-Squénoët, Morbihan...

Armand est allé chercher une carte. Nous avons décidé d'aller là-bas durant le week-end, ce qui me laisserait le temps de revenir au boulot le lundi soir.

— Et dans quelque temps, Frédo, on se paye les vacances du siècle !

Ah ! oui, les vacances, c'était un bon programme... Et pas à Moscou, ce coup-ci, aux Bahamas ! J'ai repris ma mobylette pour rentrer dans ma banlieue, toujours aussi grise. Elle pouvait bien rester là, la banlieue, dégueulasse et triste, j'avais traversé le mur visqueux qui me barrait la route de la vraie vie. Ouais.

Chez moi, j'ai eu du mal à rester calme. J'avais encore deux nuits à me faire tartir dans la morgue, avant de prendre le train pour la Bretagne. J'ai soupé avec mon épouse, fort bourgeoisement. À son attitude embarrassée, c'était visible, elle avait un truc désagréable à m'annoncer.

Au dessert, elle a cassé le morceau : ce week-end, il y avait un congrès syndical, avec des camarades de tous les hôpitaux de France. Le patronat pourri n'avait qu'à bien se tenir ! Le hic, ce qui la chagrinait, c'était que le petit minou, l'adorable pousse chariot, allait passer son dimanche seul, tout seul...

C'était l'aubaine, je n'avais pas à chercher un prétexte vaseux pour me tirer à Kertivy avec Lepointre ! J'ai râlé un peu, pour la forme, avant de céder, bon, bon, le minou ferait un sacrifice, une fois de plus...

Tandis que ma moitié discuterait des deux francs d'augmentation pour les infirmiers échelon 6 bis, j'irais récupérer mes deux cents briques tranquille.

*

* *

L'EXPRESS N° 123 EN DIRECTION DE RENNES, VANNES, QUIMPER, QUAI N° 3, VA QUITTER LA GARE. MESSIEURS LES VOYAGEURS POUR RENNES, VANNES, QUIMPER.

Nous courions comme des fous, en poussant de grands cris, après le train qui démarrait. J'ai aidé Lepointre à grimper dans le wagon. Dans un compartiment vide, nous avons étudié le petit dépliant touristique sur Kertivy, son château, ses plages, son port...

10

J'ai été réveillé par l'odeur des croissants chauds que Lepointre me baladait sous le nez. Tout d'abord, je n'ai pas bien réalisé ce que je faisais là. Il avait ouvert la fenêtre, il faisait un froid de canard ! Pendant que Lepointre faisait sa gymnastique matinale, j'ai mangé. On voyait la mer. C'était marée basse. Les bateaux étaient en cale sèche, et des nuages de mouettes dérivaient au fil du vent. De temps à autre, l'une d'elles faisait un piqué au ras des vagues, venant abréger la vie d'une imprudente sardine se prélassant à fleur d'eau...

Le ventre plein, j'ai retrouvé toute ma lucidité. Notre arrivée la veille au soir, nos achats à la quincaillerie de Quimper : un cric, des pinces-monseigneur, une masse, un sac de ciment à prise rapide... Tout le nécessaire pour ouvrir une tombe et réparer les dégâts après l'avoir refermée !

Nous sommes descendus sur la jetée regarder l'océan. Dans les anfractuosités des rochers, j'ai ramassé des bigorneaux, et Lepointre a coincé un petit crabe tout rouge, qui m'a pincé le doigt, la vache. La mer remontait tout doucement. Contempler la marée, assis sur un quai, en fumant une pipe, je ne connais rien de mieux.

Sur le coup de midi, un petit creux nous est venu. Carpourat, à son insu, nous a payé un restaurant très convenable, grâce au fric que j'avais raflé chez lui !

L'air iodé, les huîtres, le muscadet, je me délectais le palais : l'odeur de l'hosto s'en allait peu à peu... Lepointre prenait déjà des couleurs. En digérant, nous avons fait une petite balade dans le village. Le cimetière était juste derrière l'église. C'était un tout petit cimetière, très modeste, aux tombes simples, garnies de croix rouillées, recouvertes de mousse. Au-dessus de nos têtes, dans le clocher de l'église, la girouette en forme de coq grinçait, s'évertuant à suivre le vent, tournant sur son axe vermoulu. Nous avons déambulé dans les allées de gravier, en fouillant du regard les épitaphes des pierres tombales. Des noms finissant en « ic » ou en « ec », des Gaël, des Gwanaêl, des Loïc, des Yann et des Gildas, des Guénolé... De Le Moêl, macache !

On s'est dit que notre cadavre devait être enterré dans un cimetière voisin, et, dans l'après-midi, on a visité ceux des villages alentour pour finalement rentrer bredouilles.

À l'heure de l'apéro, le soir, nous avons trouvé le curé du coin, un gros rougeaud, attablé devant une assiette de moules, au tabac de la place. Lepointre a entamé les manœuvres d'approche, en branchant l'homme en soutane sur le doulou-reux problème du recrutement des prêtres, un vrai malheur, cette crise de la vocation.

Après la quatrième tournée de gros-plant, il a attaqué sur la famille Le Moêl. Le curé s'est levé, sèchement, et il a disparu sans dire un mot. La nuit tombait, nous sommes rentrés à l'hôtel.

J'étais inquiet, mais Lepointre m'a rassuré : Yannick pouvait tout à fait être enterré ailleurs, les Le Moêl étant peut-être originaires d'un autre coin de Bretagne. Parce qu'avec un nom pareil ils n'allaient pas nous faire croire qu'ils étaient polo-nais !

Nous avons soupé en tête à tête, seuls dans la salle à manger de l'hôtel. Au bar, des indigènes rêvassaient devant leurs verres tantôt vides, tantôt pleins. Lepointre a carrément interpellé la patronne en lui demandant où était Yves Le Moêl, frère de Yannick, qu'il avait fort bien connu, à l'hôpital, et la nouvelle de sa mort, quel malheur, je passais dans la région avec mon neveu, et j'ai voulu saluer la famille. Lepointre, ce n'est pas le culot qui l'étouffe.

La patronne a répondu qu'elle n'avait pas vu Yves ce soir-là, puis elle s'est tournée vers un fossile qui tétait sa bouffarde près du poêle.

— Hé, père Guénolé, t'as pas vu l'Yves Le Moêl, à c't' heure ?

— Gast ! Si donc, j'l'a aperçu, su'l'môle, qu'attachait son rafiot...

À cet instant, la porte s'est ouverte, un grand costaud est entré, en lançant sur le comptoir un panier grouillant de congres agonisants.

— Hé, dis donc, Yves, y a des Parisiens qui veulent te voir !
On lui a payé un coup. Lepointre a de nouveau débité sa
salade. Je pensais que ce contretemps nous obligerait à redou-
bler de prudence dans l'ouverture de la tombe. Si on s'aper-
cevait de quelque chose, notre signalement permettrait de
nous identifier rapidement...

— Eh oui... poursuivait Lepointre, c'est pas beau, de mourir,
ah, ça non !

Puis il a demandé à Yves s'il pouvait se recueillir sur la
tombe de son frère.

— Bien sûr, mais pas ce soir, c'est trop loin. Demain, si vous
voulez, je vous emmène. Mais de bonne heure... J'ai du travail !

Le lendemain matin, après un café brûlant pris sur le pouce,
nous avons aperçu la silhouette d'Yves qui nous attendait sur
le quai. Il se dandinait dans le froid. On lui a serré la main,
et il nous a montré un bateau.

— On aura plus vite fait d'y aller avec la *Marie-Morgane*...
nous a-t-il dit en nous faisant descendre sur le pont.

Il a ramassé les écoutes, mis les gaz. La *Marie-Morgane*
tanguait ferme. Par bonheur, on avait apporté des cirés, ce
qui n'était pas superflu. Yves était dans la cabine, et nous, sur
le pont.

— Tiens, regarde, Frédo, il nous emmène de l'autre côté du
cap de Kertivy. Son frangin doit être enterré dans le patelin
qui est tout au fond de la baie...

Lepointre me désignait une avancée rocheuse, dans la mer,
mais, visiblement, Yves ne s'apprêtait pas à contourner le cap,
puisqu'il prenait la route du large. Une bonne demi-heure
après, il a coupé les gaz, pris des jumelles qu'il a braquées sur
la côte.

— Voilà, hurlait-il, quand le clocher de Kertivy est dans l'ali-
gnement de la bouée du port, c'est bon.

— Comment ça, c'est bon ?

Yves se penchait par-dessus bord et, de la main, nous mon-
trait une masse grise, affleurant presque à la surface des
vagues.

— C'est là, ça, c'est les brisants du Chien Noir.

On écarquillait les yeux, le regard fixé sur ces énormes cailloux engloutis.

— Ouais, chez les Le Moël, on est tous des marins ! De père en fils. Chez nous, pas d'église, pas de chichis... Et pas de tombe ! On charge le cercueil dans le bateau, et on le jette à la mer, ici, dans la fosse qui entoure les brisants du Chien Noir ! C'est depuis qu'un de nos ancêtres a fait naufrage... Yannick est là, tout au fond !

Lepointre et moi, on a eu une seconde de passage à vide. Et puis on a ri, mais on a ri !

Et on s'est juré sur-le-champ de remonter une combine du tonnerre de Dieu de saloperie de Chien Noir !

Composé par IGS-CP à Angoulême
Achevé d'imprimer en Europe
à Pössneck (Thuringe, Allemagne)
en octobre 2000 pour le compte de E.J.L.
84, rue de Grenelle, 75007 Paris
Dépôt légal octobre 2000

Diffusion France et étranger : Flammarion